LOS JUEGOS

René Avilés Fabila

Los juegos

NUEVA IMAGEN

Para establecer comunicación con nosotros puede hacerlo por:

correo:
Renacimiento 180, Col. San Juan
Tlihuaca, Azcapotzalco,
02400, México, D.F.

fax pedidos:
(015) 561 4063 • 561 5231

e-mail:
info@patriacultural.com.mx

home page:
http://www.patriacultural.com.mx

Dirección editorial: José Francisco Hernández
Coordinación editorial: Mayte Rebollar Romo

Diseño de portada: Perla Alejandra López Romo

Los juegos
Derechos reservados:
© 1967, René Avilés Fabila
© 2001, GRUPO PATRIA CULTURAL, S.A. DE C.V.
bajo el sello de Nueva Imagen
Renacimiento 180, Colonia San Juan Tlihuaca
Delegación Azcapotzalco, C.P. 02400, México, D.F.

Miembro de la Cámara Nacional de la Industria Editorial
Registro núm. 43

ISBN 970-24-0236-0

Impreso en México
Printed in Mexico

Primera edición: 2001

Advertencia al lector

En 1967 Estados Unidos intensificaba sus acciones en Vietnam, la URSS festejaba el cincuenta aniversario de la Revolución de Octubre, Díaz Ordaz se encaminaba directamente a la más brutal represión que México ha sufrido en los últimos tiempos, la izquierda nacional estaba, como siempre, fragmentada, yo tenía veintiséis años, dos de casado, acababa de concluir mi carrera en Ciencias Políticas, escribía cuentos breves y trabajaba como maestro de segunda enseñanza. De mi generación comenzaban a destacar José Agustín, Ignacio Solares, Juan Tovar, Jorge Arturo Ojeda y Roberto Páramo. Los Beatles, Donovan, los Rolling Stones, Procol Harum y otros triunfaban con su música renovadora. Poco antes obtuve la beca del Centro Mexicano de Escritores, lugar en donde conocí a Rulfo, Arreola y Monterde y en el que escribí los cuentos de *Hacia el fin del mundo*. La Revolución Cubana se consolidaba (a ella debo buena parte de mi formación política) y en ese mismo año en Bolivia asesinaron a Ernesto Guevara. Por último, miembros de la desaparecida Juventud Comunista, hoy la gran mayoría buenos servidores del gobierno, se encargaron de expulsarme de tal organismo acusándome de trotsquista y, si mal no recuerdo, también de maoísta por haber citado en una conferencia unas frases del Gran Timonel. Por esos días conocí a un millonario editor de origen español con criterio de ordeñavacas, Rafael Giménez Siles. Me trató, me escuchó hablar y trazar planes para una novela y de pronto me pidió que la escribiera, que serviría para inaugurar una de sus nuevas colecciones literarias. Tiene que ser novela, insistió y yo acepté, "porque los cuentos ya no tienen mercado".

La idea era escribir una novela satírica dirigida a los medios intelectuales y políticos del país, que para mi sorpresa siguen siendo los mismos, con dos o tres de reciente ingreso. La trama y su correspondiente estructura aparecieron con rapidez: todo transcurriría dentro de una magna fiesta y de ella se desgajarían las historias narradas utilizando distintas maneras. Escribí las primeras cincuenta cuartillas; las leí al editor en casa de Emmanuel Carballo y, oh sorpresa, el hombre se levantó del mullido sillón y se arrojó a mis brazos. Genial, decía, genial; sigue adelante. Y con la vanidad satisfecha también lloré al ver correr por sus maltratadas mejillas lágrimas de cocodrilo.

Encerrado en mi departamento escribí furiosamente por cinco meses y al llegar el número seis yo tenía la novela perfectamente mecanografiada y titulada: *Los juegos*. Corrí al despacho del editor y le dejé el maquinuscrito. Durante unos días esperé el veredicto, un veredicto que evidentemente tenía que ser favorable, al menos eso suponía yo. Ah, cuántas personas andan por el mundo sufriendo por editor y a mí, antes de ser conocido, me buscaban, qué será a mi vejez. En fin, vino el juicio final y el español vestido de san Pedro: No, René, no puedo publicarte esta novela, iremos a la cárcel. Mira que decirle esas cosas al Presidente de la República y esas otras al anterior. Imposible. Cómo odié al miserable que me hizo concebir ilusiones, así que recogí mis bártulos, es decir mi original, y me fui con la música a otra parte. Como diría Borges, en vano fatigué relaciones y agoté editores. La mayoría no deseaba meterse en dificultades y esgrimían recursos semejantes al primero; aunque varios rechazaron la novela no por posibles problemas políticos sino por miedo al grupo de intelectuales caricaturizados en ella. Joaquín Diez-Canedo me dijo: Voy a hacerle un favor, quémela, tendrá usted demasiados problemas. Cuando hube tocado todas las puertas sin ningún éxito, vino la solución salvadora: hacer una edición de autor. El presupuesto de la imprenta me dejó aterrado: alrededor de catorce mil pesos. Jamás había tenido tanto dinero junto. Entonces había que conseguirlo. Con un grupo de compañeros vendí un número de libros por adelantado al enorme precio de cincuenta pesos por ejemplar de algo que desconocían, de un escritor que apenas se iniciaba. Armado de coraje atacaba a los que se dejaban y en las fiestas arengaba a las multitudes para que compraran mi libro, después de narrarles mis penosas peregrinaciones en busca de editorial. En poco tiempo obtuve la suma requerida y que yo recuerde nadie me negó su ayu-

da. Más aún, hubo gente que me dio más dinero del solicitado. Recurrí a mis semejantes y ellos me salvaron del fracaso.

Meses más tarde la novela vio la luz: una bellísima edición
de autor, magnífica portada de Augusto Ramírez y presentación de José Agustín. El papel era chebuco de cuarentaidós
kilos y el forro estaba impreso con siete tintas. El cuidadoso
trabajo fue de Manuel Casas. Y en el colofón aparecían Manuel Mejía Varela y, de nuevo José Agustín, como respon-
sables de la edición. Mis primeros dos mil ejemplares. Como
en el transcurso de mi campaña para obtener dinero hablé con
muchísimas personas, el rumor de que había escrito una novela maldita y terrible fue extendiéndose y gracias al mor-
bo en menos de sesenta días se agotó totalmente, quedando
sólo ejemplares para archivo.

Pero mis padecimientos comenzaban. Hay que retomar
un poco la historia del México cultural, justo en esa déca-
da. Un grupo de artistas exitosos (algunos de gran talento y
desmedida ambición, sin contar su absoluta despolitización)
se apoderaron de los más destacados medios de difusión y
tenían severa influencia sobre otros: suplementos literarios,
editoriales, galerías de arte, organismos culturales, etcétera.
Uno de ellos, pecando de ingenioso, calificó al conjunto
como "La Mafia" e incluso llegó a publicar un librito al respecto: una obrita imbécil que se limitaba a dar los nombres
de los supuestos integrantes de esa organización mágica, ha-
cedora de la subdesarrollada cultura nacional. En mi novela aparece como El Clan, en una parodia casi obvia. La sátira
resultó feroz. Y muchos de los mafiosos se sintieron ataca-
dos, heridos en su más preciado don: la autosuficiencia.

México es un país solemne, falto de sentido del humor, mientras que la novela, *Los juegos,* pretendía ir a los extremos de la sátira. La obra, entonces, causó pasiones encontradas (tengo dos carpetas repletas de pruebas de ello): unas a mi favor, otras atacándome y comenzaron a aparecer notas, comentarios, reseñas; todo llevado por la indignación o por las simpatías y entonces no hubo, de hecho, crítica seria, literaria, que me permitiera darme cuenta de los valores del libro, de sus aciertos, de sus defectos. Los admiradores de "La Mafia" se convirtieron en mis enemigos y de paso aparecieron algunas exageraciones y calumnias acerca de éste, su modesto autor de novelas y cuentos. Recuerdo el final de una nota aparecida en *Excélsior:* René Avilés Fabila no debe ser objeto de juicio literario sino penal. Un columnista me llamaba el Innombrable y en dos artículos (con sesuda sicología callejera) habló de que mis problemas descendían de la ausencia paterna y que por tanto cometía un horrendo parricidio con *Los juegos.* Del otro extremo, los detractores de los mafiosos —o clanudos, para usar la terminología de mi libro—, resentidos por la ausencia de talento y éxito, se apoyaron en mi novela y la defendieron rabiosamente por sentirse vengados. Sólo un pequeño grupo de personas, tomando las cosas con seriedad y sentido del humor analizó la obra. Mencionaré a Juan Vicente Melo, quien escribió un ensayo (publicado en el suplemento cultural de *Siempre!*), donde supo verla con inteligencia y objetividad; y a Rafael Solana, quien en *El Universal* pedía a mis críticos realizar una lectura llena de buen humor.

En vista de las fáciles ventas que obtuvo *Los juegos* vinieron ofrecimientos para hacer una segunda edición, siempre y cuando —hermoso país en donde cada ciudadano lleva su mordaza, donde el sistema ha dañado gravemente la posibilidad de crítica— yo accediera a efectuar cortes en los capítulos en que aparecían algunos asesinatos cometidos por las fuerzas represivas (verbigracia: la muerte de la familia Jaramillo por elementos militares). Me negué. Había pasado lo peor y tenía ganancias. Con ellas se costeó una segunda edición de tres mil quinientos ejemplares en papel y cartulina modestos e impresa en ofset. Después el Fondo de Cultura Económica publicó *Hacia el fin del mundo* en la serie Letras Mexicanas, Bellas Artes me incluyó en su serie Los narradores ante el público, en la que durante tres ciclos, uno por año, desfilaron los autores de mayores ventas y más notorios. No volví a tener dificultades para editar mis libros. Eso sí, tuve que buscar fuera de México para hallar un puñado de críticas que tasaran a *Los juegos* con cultura y talento; venían firmadas por Haydée M. Jofre Barroso y Raúl Vera Ocampo, argentinos, por Juan Liscano y Domingo Miliani, venezolanos… Esto, además de la importancia que tenía para mí en tanto escritor, comprobaba que el libro podía leerse en el extranjero, pues son muchas las naciones que padecen problemas semejantes a los mexicanos en materia de cultura. Es decir, su validez desbordaba los límites nacionales. Durante el combate que sucedió a la aparición de la novela (a diario escribía respuestas a los ataques: Jorge Volpi ha hecho un breve recuento de esto), algunos pretendieron que yo publicara un folleto resolviendo los supuestos enigmas en torno a la verdadera identidad de los personajes. No acepté. Si bien era cierto que algunos correspondían a modelos, los demás eran (son) una mezcla de varios o simples productos de la invención. Sin embargo, cada uno de los que participaron en el debate sobre *Los juegos* daba su propia versión y decía que tal personaje era fulano o zutano. Incluso me llegaron a imaginar infiltrado en las fiestas dolchevitianas de "La Mafia" tomando notas y grabando conversaciones para escribir mi obreja. El hecho es que jamás tuve acceso a tales reuniones (confieso que me hubiera gustado tenerlo) ni fui conocido de las celebridades que contribuyeron a la novela, claro, involuntariamente.

La idea de *Los juegos* es desde luego política. Se trataba (se trata) de caricaturizar a los intelectuales y políticos que de una u otra manera pertenecen al sistema, que forman parte de la cultura oficial, que suponen que las transformaciones se hacen "desde adentro", que desprecian la militancia y adoran la libertad, así, en abstracto, ignorando tal vez que es una ilusión, que designan por decreto quién vale y quién no, que cultivan una supuesta estancia al margen de la política. El hecho de que la acción transcurra dentro de una divertidísima fiesta (oh maestro Fellini, cuánto daño ha hecho tu film entre las huestes del subdesarrollo) con estriptís, comentarios sesudos, elogios mutuos, despolitización, tiene por objeto contrastar la realidad: el drama de la existencia de presos políticos, el asesinato y la represión brutales, la ignorancia y el hambre de un pueblo que supuestamente es rico y nada en petróleo, la corrupción y la podredumbre gubernamentales. Eso satiricé. Ahora, a distancia, veo con simpatía a *Los juegos,* es parte importante de mi formación, allí están ya mis preocupaciones; fui su autor, su editor, su distribuidor. La novela está redactada de un tirón. No intenté ser cauto ni utilizar el tacto diplomático que a otros los ha llevado al éxito, especialmente en la era de Vicente Fox, cuando los más cercanos colaboradores del PRI, de Francisco Labastida, conquistaron altos cargos culturales y diplomáticos. Quise burlarme y creo haberlo conseguido. Gocé escribiendo la novela, me divertí intensamente. Yo sé bien que hay torpezas literarias, defectos de estructura, pero ha sabido llenarme de satisfacciones. Si tuviera que empezar de nuevo, empezaría igual. Y si no hubiera escrito *Los juegos* en 1967, la escribiría hoy que he reafirmado mis opiniones sobre ese mundillo decadente que, como decía José Agustín en la presentación de la novela, no conoció el auge.

"La Mafia" no existe más. No obstante, la intelectualidad mexicana conserva los mismos defectos que en *Los juegos* se critican y lo que es todavía peor, son, como ya lo dije, los mismos personajes con las actitudes y los errores resaltados. Ya no hay ni siquiera el apoyo demagógico a las causas avanzadas o francamente revolucionarias, por ejemplo, ya no hay solidaridad con Cuba sino críticas infantiles. Buena parte de los personajes que modelaron sin saberlo para *Los juegos,* que en 1967 se vanagloriaban de su oposición al Estado, incluso querían destruirlo, ahora están dentro de él, formando parte de la corrupción, protegidos y premiados por los distintos gobiernos priístas. En fin, para qué seguir, allí están *Los juegos,* un mal paso que me costó aversiones e insultos, pero que volvería a repetir porque me gustó darlo.

Para finalizar debo añadir que en 1973 Fabril Editora (Buenos Aires) intentó hacer la tercera edición de esta novela; llevaría prólogo de Juan Carlos Ghiano. La editorial quebró antes de efectuar la reimpresión y las cuartillas de Ghiano por desgracia se perdieron en los vaivenes de viajes y mudanzas. [En 1980 la Universidad de Sinaloa la hizo, escribí un prólogo muy parecido a estas líneas y conservé la presentación de José Agustín, pues reflejaba la actitud cítica y ácida, contracultural de los jóvenes de hace casi cuarenta años.]

RENÉ AVILÉS FABILA

MIENTRAS DURÓ el juego de los Párrafos Literarios fue divertido. Necesitamos inventar otro que lo sustituya adecuadamente. De lo contrario, las pláticas seguirán siendo así como aburridas, monótonas. El juego era bueno, muy entretenido. Lástima que haya degenerado. Resultaba perfecto para las necesidades intelectuales del grupo. Divirtiéndonos, adquiríamos conocimientos. Se trataba de un juego en el que sólo tenían acceso personas con sólida preparación literaria. Reuníamos a los muchachos y nos colocábamos en círculo, cada quien con su jaibol; uno soltaba un párrafo de alguna obra importante y los demás iban aportando datos hasta tener la ficha bibliográfica completa. Había que dar respuestas exactas, o algo cercano que pudiera orientar a los participantes y no adivinar a lo buey. Si alguien intentaba hacerlo, automáticamente era descalificado. El pasatiempo fue espléndido. Sí, mira, por ejemplo: bueno es advertir, de pasada, que estos accidentes fatales se dan con harta frecuencia en la pesca del cachalote. Veces hay en que un hombre es aniquilado sin que los restantes sufran el menor perjuicio, aunque lo más regular es que salte la proa del bote, o la tabla en que se

17

coloca de pie el matador, acompañe su cuerpo lanzado al aire. Pero lo más extraño es que los cadáveres a menudo rescatados no presentan el menor signo de violencia, a pesar de que los hombres están irremisiblemente muertos.

¿De quién es?

De Melville, *Moby Dick.* Es obvio.

Edición argentina.

No.

Malinchista.

¿Mexicana?

Sí.

¡Ya sé! Es fácil: si no me falla está editado por la Universidad, en la colección Nuestros Clásicos.

Bien por ti.

Me parece que salió en 1960. Claro, en 1960. Viene en dos tomos. El total de páginas es de 780.

Yo. Yo. El párrafo está al final de la página 107 del tomo II.

Pero como nadie supo quiénes eran los traductores ni quién había prologado la obra, ganó el que dijo el fragmento. Además, conservaba el derecho de seguir citando, hasta que perdiera; entonces le tocaba al siguiente y así continuaba el juego por horas.

Al principio la diversión era más que interesantísima. Cada uno de nosotros memorizaba párrafos o trozos de libros excelentes; nada de maletones. Y también leíamos a montones para evitar la derrota y con ella la vergüenza. Eran luchas titánicas en verdad. Los conocimientos literarios aumentaban. Y los barbajanes jamás pudieron competir con nosotros. Pobres de los que se atrevieron: el ridículo fue su castigo. Había que poner en el tapete una memoria extraordinaria y un amplio conocimiento de la literatura universal. Marchaba. El juego pegó y se repetía en las fiestas y en las reuniones. Más aún: a diario nos citábamos en el Tirol para celebrar encuentros. Buen ejercicio mental. Nadie se aburría.

Sin embargo, el divertimento empezó a corromperse (igual que todo en este país). No sabemos con exactitud quién fue el iniciador; pero sí que algunos vanidosos del grupo soltaban parrafadas gigantes de sus novelas o cuentos. Y al poco tiempo, la totalidad los imitábamos, hacíamos lo mismo: cada uno de nosotros recitaba partes de su propia obra y el combate cultural se convirtió en un margallate, en una manera de citarse como clásico de las letras o para fines autopublicitarios. Ya nadie deseaba responder, sólo se quería decir un par de capítulos de la última novela, digamos. Qué pena, el juego iba hacia su destrucción. El colmo fue cuando las citas comenzaron a ser de libros inéditos y el autor se regodeaba con la extrañeza de quienes estaban enfrente; ¡pobres!, se les secaban los sesos tratando, ahora sí, de adivinar a qué obra pertenecían. Después de eso, no volvimos a jugar a los Párrafos/

SU PRIMER libro fue un volumen de cuentos. *Diez narraciones que crítica y público recibieron con entusiasmo. No

---

* Berriozábal, Ruperto: *Primeras cantigas.* Fondo Literario. México. 1961. 90 p. $18.00.

exentos de agudeza señalaban: un gran valor literario ha aparecido en México. Obtuvo en seguida la beca Lezano y las páginas de revistas y suplementos culturales se abrieron para él. Su nombre se pronunciaba con la frecuencia con que se repite el nombre sagrado del presidente en turno.

Tenía veinticinco años, no más. Una cultura sólida (adquirida en la vida y en los libros, fuera de las aulas; aquí ningún escritor que se respete concluye una carrera: siempre es autodidacta). Hablaba dos idiomas aparte del español, sólo que nadie supo con certeza cuáles eran: ruso y checo, francés e inglés, chino y árabe, y sus biógrafos polemizaron muchísimo sin llegar a ponerse de acuerdo.

Los diez cuentos, alejados del nacionalismo y el folklore habituales, conducían directo al tan largamente anhelado cosmopolitismo. Era un libro que, según la crítica, iba por medio de sucesivas coordenadas dialécticas a una cosmovisión óntica con raíces hondamente existenciales y al intimismo antonionista, heredero de una larga tradición interiorista; además, el realismo mágico obligaba al lector a adentrarse en caminos fantásticos y a veces empíricamente subjetivos.

La popularidad de Ruperto Berriozábal creció en México. Creció tanto o más que la de Balzac, Dostoyevsky y Joyce juntos. Cuando Ruperto anunció —en una entrevista— su próximo libro: una novela, su fama aumentó exageradamente.

Como era lógico, la noticia produjo expectación en los medios intelectuales capitalinos y en algunas trincheras culturales provincianas. Varias revistas pidieron fragmentos de la novela al precio que fuese, ansiosamente. Berriozábal se negó: su libro sería una sorpresa absoluta, nada de anticipos. Luego él y sus allegados (muy pocos) discutieron sobre la editorial que publicaría la novela (escrita durante el año que tuvo la beca Lezano).

El éxito de la novela rebasó en mucho lo previsto. El prestigio de Ruperto se extendía, ganaba territorios. Primero el país completo. Más tarde toda América. Por último Europa. Ahí es donde me importa ser conocido; en el anciano continente mi obra sí podrá ser comprendida y valorada en su extensión total, dijo antes de encerrarse en su lujoso despacho (colmado de libros en diversos idiomas). Una vez dentro, poniendo cerca la de whisky, escribió las primeras cuartillas de su segunda novela.

Haría una obra cíclica: la crítica a la sociedad mexicana para pasar a la crítica del mundo y terminar de nuevo en la crítica a México (sic). Una tarea monumental, jamás emprendida por ningún escritor. Y continuó tecleando: cientos, miles de personas se estrujaban las manos en espera de otro libro suyo.

En realidad, pocos en Latinoamérica con la facilidad para escribir de Ruperto Berriozábal. Su segunda novela la empezó, por en medio, un lunes; el miércoles siguió con el final; la concluyó el viernes con el principio; el sábado le puso título y sus secretarias la mecanografiaron con rapidez; en dos días pasaron en limpio ochocientas cuartillas. La característica básica de este libro fue que desaparecieron todas las influencias (en rigor apenas dibujadas) que Berriozábal tenía: ni Faulkner ni Hemingway, menos Joyce y Proust, para qué James o Dos Passos: sólo él, nada más él, sus alas ya eran lo suficientemente fuertes como para necesitar ayuda. (¿Influencias nacionales? Por favor, Berriozábal era punto de partida en la literatura mexicana: no tenía antecedentes; habría, eso sí, muchos seguidores, ni dudarlo, era el primer autor nacional de escrupuloso y auténtico cosmopolitismo.)

La segunda novela de Ruperto Berriozábal, *Imagínalo de oscuro,* se agotó en un mes. Se superaba. La anterior, *Cuando el sol desciende sobre la ciudad,* desapareció de las librerías en dos meses. Ambas ediciones, lujosamente empastadas, fueron de diez mil ejemplares cada una, cifras nada comunes en México.

Pero así como tenía admiradores y seguidores por millares, contaba con un número casi igual de enemigos gratuitos (México es dueño de un elevado crecimiento demográfico). Afortunadamente, los envidiosos no lograban publicar una sola línea por carencia definitiva de talento, por mediocridad. Y como los ataques que esporádicamente surgían aumentaban la inquietud del lector por conocer la obra de Ruperto, él mismo escribió y publicó varias notas atacando sus novelas y hasta metiéndose en intimidades de su vida privada, en busca del escándalo.

De cualquier modo: ir contra Ruperto Berriozábal o contra sus posiciones o contra el Clan era ir contra el avance y el desarrollo cultural de México. Justamente como había afirmado Rolando Bespis en la Casa del Lago.

LA SALA Manuel M. Ponce está repleta, atestada: no falta ningún intelectual mexicano, incluso hay extranjeros a pasto. Escritores en todas sus variedades y matices, actores, dramaturgos, compositores musicales, críticos de arte, de cine, rocanroleros de los buenos, estudiantes universitarios de vasta cultura (renglón un tanto deteriorado), cineastas, catedráticos; un público exigente que no admite mediocres (también entre los intelectuales hay división de clases). Sin embargo, y pese a que dos fortachones cuidan la puerta e impiden la entrada de los no consagrados, se filtran en el recinto cultural algunos curiosos y varios enemigos de Berriozábal. Ocho y cuarto. Como ya la Ponce es en verdad insuficiente, un grupo encabezado por Benavides sugiere que la multitud pase a la sala de espectáculos. Y en menos de cinco minutos se toma posesión del amplísimo local y todos buscan los mejores sitios según sus propias conveniencias artísticas. El hecho no es una sorpresa para Ruperto: ya esperaba algo semejante.

También están presentes fotógrafos, reporteros nacionales y extranacionales, camarógrafos de TV acomodando sus aparatos, buscando la mejor manera de que el acto llegue a los hogares de los mexicanos cultos que no pudieron asistir por razones poderosas, y todo debido al gentil patrocinio de la Compañía Cervecera Cacama, la creadora de Cítara, la cerveza en tres tamaños y treinta veces campeona gracias a la preferencia del público intelectual que la ingiere en cantidades navegables, como señalan los carteles que, puestos anteriormente en la Ponce, ahora transplantan a la sala de espectáculos.

Gran animación. Los murmullos van y vienen, vienen y van, según las corrientes de aire que penetran por las puertas abiertas. Las mujeres lucen elegantes dentro de sus vestidos o pantalones ep, pop, top, op, sop o confeccionados con materiales folklóricos. Los hombres, en su mayoría, desdeñan el traje (es burgués, para gente prejuiciada) y visten suéteres gruesos con grecas vistosas, pantalones de mezclilla, calcetines de lana y mocasines de audaz diseño; pelo muy a la inglesa de nueva ola. Casi no hay viejos; jóvenes y ya. Continúa llegando la intelectualidad, con rapidez. Y principian a formarse los grupos. Ándale, aquí te apartamos un lugarcito. Vámonos hasta mero atrás, adelante está Boyd Ramírez y no quiero verlo, hablé mal de su pasada exposición. Mira: las primas Corrillo, hay que quedar cerca de ellas. Apúrate, no tarda en comenzar y no quiero perderme ni una palabra de lo que diga. Yo traigo grabadora con cinta kilométrica: Ruperto se extiende horrores. Oye cuate, ponte listo, a la salida me ayudas a repartir mis librucos de ensayos. González trajo su novela y desde que llegó la anda repartiendo; qué tipo, con razón agota sus ediciones: regala todos los ejemplares en dos semanas. Y son unas pinches ediciones de trescientos libros. Sólo a la familia le reparte cien. Trae los libros con dedicatoria y firmados: nomás les pone los nombres de los obsequiados según los va descubriendo. Algo parecido sucedió en el cóctel de homenaje a Grass, ¿te acuerdas? Tú procura saludarlo, lo entretienes, yo me hago el encontradizo para sacarle la nota en *Excélsior*. A mí me invitó personalmente, somos muy cuates. Escribía cuando recibí el telefonazo de Ruperto: Viejo, estás invitado a mi lectura autobiográfica/ Sí, Ruperto me dijo que viniera, casi me suplicó/ Es claro que me hiciera la invitación en persona, no puede prescindir de mis consejos/ nada más a los cuates de veras cuates los invita él directamente; de seguro somos dos, acaso tres/ Ahí andan algunos enemigos de Ruperto, nadie los invitó, nadie que por supuesto no fueran los organizadores, ya sabes cómo son los burócratas metidos a cultos. Vienen a buscar elementos para ridiculizarlo. Idiotas, no es posible. Y en caso de que dejara algunos hilos sueltos de donde jalarlo, ¿qué suplemento les publicaría sus notas? Se conformarán con ir a contárselo a sus amigos, retrasados mentales como ellos sin duda.

Los más llevan muéganos y bolsas con palomitas. Mastican sonoramente los dulces, sin tomar en cuenta las ficticias disposiciones pequeñoburguesas. Aquí la influencia de Rosicler aunada a la de Riveroll es evidente.

Entra Ruperto Berriozábal. Silencio. A su lado, la esposa en turno y su más reciente editor en italiano. Se detiene apenas para saludar a los que están cerca: Riveroll, más humorista que poeta, antologador, antisolemne consagrado, notable en todos los géneros; y Culeid, quien se hizo famoso internacionalmente por pintar fusionando a Fra Angélico con Chagall y Kandinsky con las raíces autóctonas, verdaderamente mexicanas, bajo un solo estilo: el suyo; y revitalizando el caballete a base de grises. La intelectualidad suelta aplausos, ovaciones y agita banderines azules con las siglas RB. En tono festivo pero conservando el decoro y la originalidad (premisa básica), los concurrentes lanzan la porra inventada por Rosicler (desde luego, también humorista, crítico agudo y mordaz, cosmopolita sin lugar a dudas y con derechos: En Argentina era un intelectual de sexta, en los EUA fue de cuarta durante los quince años que estuvo trabajando en la OEA y aquí es de tercera; no pierde las esperanzas de encontrar un país en el que llegue a ser de segunda; por lo pronto está bien y con excelentes chambas; ha lanzado una novela sobre el Clan). Todos celebran la puntada. El creador de irrealidades (RB) agradece al público y sonríe a Rosicler. Con afectados movimientos, casi diplomáticos, toma asiento; se acerca a los micrófonos, carraspea, permite que los fotógrafos se solacen con él durante cinco minutos; las cámaras de TV funcionan, comienza su charla autobiográfica. Silencio. Al igual que Rosita no hago más ejercicio que el mental. Shhhh. Silencio.

Silencio.

Todos los ojos directos a Ruperto Berriozábal.

Si vivo en México es porque nací en México y en él tengo la mayor parte de mis amigos y enemigos. El sacrificio se compensa con el buen clima y la comida barata. No obstante, procuro pasar la mayor parte de mi tiempo en Europa, allá en mi departamentito balzaciano. Viajo con frecuencia a Nueva York para desintoxicarme del provincianismo que padecen casi todos los países. Nueva York es la capital del mundo y el principal centro cultural, donde Culeid expone cada quince días. Y en donde no tengo problemas para burlar a los agentes de la CIA que me vigilan cada vez que traspongo la frontera norte (murmullos de asombro). Soy casado, como se sabe, por quinta vez. Vivo en una mansión draculesca de San Ángel. No tengo hijos porque pienso que son estorbosos y difiero del pensamiento idiota de que hay que plantar un hijo y procrear un árbol, además de escribir un libro; yo, querido público, solamente tengo hijos literarios, muchos hijos mentales, los otros no me interesan; pobres de aquéllos que buscan perpetuarse en sus hijos; la única forma de perpetuación, o de inmortalidad, es escribir obras literarias de gran valor.

Mis libros se venden como pan caliente de la CONASUPO en colonia proletaria. He sido traducido en varios idiomas, destaquemos el inglés, el francés, el italiano, el ruso y el polaco. Mi primer libro fue homenajeado con los premios Alfonso Reyes y Puerto Vallarta simultáneamente, los otros no tiene caso citarlos, de sobra son conocidos. Espero algunos triunfos internacionales, obtendré el Nobel (alaridos de emoción, aplausos atronadores).

Me acusan de ser un dictador intelectual, nada más falso: me limito a marcar rumbos y a señalar directrices a los escritores mexicanos (y a algunos de Guatemala para allá). Si ahora la literatura en nuestro país se divide en antes y después de mí, en nada tengo la culpa; en última instancia la tienen mi genio y mi talento y mi facilidad innata para la publicidad. Antes de B nada, luego, ya veremos (tres minutos y cuarenta segundos de rabiosos aplausos y gritos).

Mi alcoholismo es controlable. Y en nada me sirve cuando escribo: al inclinarme sobre mi máquina Smith-Corona

250 lo hago deportivamente: ni cigarros ni otros estimulantes. Cierto que a mi lado siempre hay varias botellas de Chivas, pero las tengo para demostrar mi firmeza de carácter y de voluntad. Bebo cuando me da la gana, sin prejuicios, como ahora lo hago, salud (gritos de ¡salud, Ruperto!, hasta que se despega el ánfora de los labios; algunos, quitándole los popotes a las suyas, descaradamente las sacan de las bolsas de chamarras, de libros huecos y bibunt centum, bibunt mille).

De mi posición política hablaré poco —en breve saldrá la segunda edición de mi ensayo sobre el tema, en el que desmenuzo los cincuenta años de revolución mexicana y algunos problemas internacionales. Ningún intelectual puede eludir sus responsabilidades ante la sociedad. Pero esto es en tanto persona, en tanto ciudadano; en cuanto artista debe hacer arte, pura y exclusivamente arte y si le queda tiempo (lo segundo no tiene parangón en importancia), pues cumplir con sus deberes políticos. El hombre es un animal político. Si estuve en la Juventud Comunista ya no lo recuerdo y dada la enorme variedad de matices que nuestro país le ha regalado a la izquierda, yo me coloco no bajo una rosa frenesí, tampoco estoy con el rosa pálido, sino dentro de una amplia posición sonrosada en México, como en todas partes, los extremos son negativos. Mi agradecimiento al marxismo que me ha permitido el análisis de los grandes problemas de nuestro tiempo. Pero algo es claro a este respecto: el marxismo, como señalaba Trotsky, no ha convertido el mundo en comunista después de la Segunda Guerra, necesita revisarse cuidadosamente; replantearse toda la problemática mundial a la luz dialéctica; pero la revisión debe ser absoluta, necesitamos un marxismo aumentado y corregido, de otro modo su inutilidad es vigente. Y la agudización de las contradicciones a nivel internacional nos conducirá a la nefasta guerra atómica o a la negación del raciocinio.

Soy cinenfermizo desde siempre. A los dos años fui por primera vez al cine. Fue en Argentina y casi accidentalmente. Me llevó la sirvienta de casa, que iba acompañada de su novio: mecánico o algo por el estilo (de allí mi afecto a las causas populares, sui géneris complejo no estudiado por Freud). La película, muda, era *Nana* de Jean Renoir, con Catherine Hesseling, Valesha Gert, Werner Krauss y otros que, comprendan, no recuerdo bien.

No me gusta la literatura nacional. Pocos son los autores de mi agrado, la mayoría de los cuales son o fueron mis amigos (vivas, en especial de los amigos, enojo de los poquísimos enemigos). El resto es subdesarrollado. Pero ustedes (se pone de pie, sube la voz y mueve las manos dramáticamente señalando a sus cuates) pueden salvar a la literatura mexicana, como la pintura ha sido salvada por Culeid (apunta sucesivamente a varios): Rolando Bespis, tú eres el mejor poeta, harás cosas superiores a los Contemporáneos y a los actuales. Rex Cótex es el indicado para escribir los mejores ensayos y, por sus valores intrínsecos, sus novelas son las que más se defienden después de las mías; al igual que todos nosotros es muy joven. Rosicler, ciudadano de América, ligado a ciertas corrientes artísticas que han prosperado aquí, será un extraordinario escritor cuando se decida a serlo: tiene los elementos necesarios y sus libros de interpretación, como su novela sobre el Clan, son buenos, agudos, terriblemente cortantes. Sin duda debo favores: vaya mi agradecimiento para Ortiz Leal y González Pérez, quienes me iniciaron en el estudio de la política, la sociología y el marxismo A ellos les debo mi formación. Cómo quisiera que cada joven escritor, que cada artista en potencia tuviera un amigo estudioso de la política con todas sus implicaciones.

De los recuerdos más espléndidos que poseo destaco las luchas que Julio Lépiz y yo tuvimos contra el nacionalismo y el folklore. Julio se ha convertido en el mejor crítico literario de México, sus ensayos y juicios carecen de fallas y poseen una lucidez asombrosa.

Quién mejor que Culeid —ya que he hablado de nacionalismo y folklore— para acabar con el mito de los moralistas, quién mejor que él para enterrar a los tres grandulones de la Escuela Mexicana de Pintura, el mayor mito surgido desde la Coatlicue, combatido anteriormente por Tamayo y por Octavio Paz. Culeid, que ha dado una nueva dimensión al caballete, y un servidor, que la ha dado a la literatura, somos, temo, los únicos menores de treinta años que tenemos abiertos los vasos comunicantes internacionales (aplausos dedicados a Culeid).

Sigue así un rato bastante largo. Cuando parece agotársele el tema o desfallecer, alguno no mencionado se hace visible ya alzando la mano, ya acercándose lo más posible al estrado. Entonces Berriozábal se reanima, lo cita, hace el panegírico obligado y lo transforma en salvador de la literatura, de la pintura, del cine. Aquello es apoteótico: se pone de pie Riveroll, se hace notar Camarazo, la gente sigue aplaudiendo, grita; la porra de Rosicler cobra bríos: ¡Guarrau, guarrau, gu, gu, Berriozábal, Berriozábal, cruuuu, cruuuuuuu! Bellas Artes se tambalea: el suelo vibra como en comedia de Sennett. Las personas se mueven tanto que parecen multiplicarse, dividirse, fusionarse, adicionarse. El orador está exhausto; el esfuerzo ha sido notable: señaló a treinta escritores, dos pintores, tres artistas de cine, una nudista y un crítico, ¡ah!, y tres ensayistas políticos, cifras insólitas si se toma en cuenta el elevado índice de analfabetismo del país. Por otra parte, el tiempo se evaporó, deben abandonar la sala: las tres horas programadas se rebasaron holgadamente. El jefe máximo del INBA, el señor Martínez, anuncia: La charla proseguirá la semana entrante, a la misma hora; el escritor programado pasa a ocupar otra fecha que ya se indicará. Lo increíble sucedió en Bellas Artes: un escritor mexicano va a la segunda plática —y de seguro el videotape pasará a mediados de semana—; con regularidad, antes de Ruperto, a la media hora las personas empezaban a abandonar el recinto cultural (templo del yoísmo, como le llamó Rafael Solana) entre bostezos y bastas.

—Traigo coche, vámonos a casa de Rex, ahí es la onda para festejar a Rupertín.

—A casa de Rex todo mundo, a la frasquiza.

—Ya no repartas tu novela, viejo, no vamos a alcanzar lugar en el coche de Culeid y quiero sacarle la entrevista. Vente.

—Ayúdame con estos paquetes, son mis ensayos, allá seguimos con la talacha.

—Mira, hermano, podemos seguir discutiendo en la fiesta, pero es seguro que pierdas: sobre política me las sé todas, tú sabes, ocho años dando clases en la Universidad a pesar de mi juventud; mis viajes, mis libros, en fin, dialécticamente siempre gano. ¿Se te olvida que en el Congreso Mundial de Filosofía le gané una polémica a Konstantinov, que sostenía una actitud antimarxista y estalinista, ignorando la libertad de pensamiento que tenemos aquí? Sí, al principio la discusión fue en defensa de Goldman, después fue una lucha contra el dogmatismo y el maniqueísmo. Para finalizar, en *Siempre!* publiqué una serie de artículos demoledores contra el pobre ruso.

—Berriozábal expuso con enorme talento y claridad la problemática intelectual del país, esto es, puso a cada quien en su sitio.

—la historia no es sino el devenir constante plasmado en los documentos de tal materia… Lo demuestro en mi libro *Historia y porvenir,* editado por El Colegio de México.

—No vayas a ligarte a una de las Corrillo, por favor, maestro, cada v/

—lo he afirmado varias veces: la economía, digo, la economía no se limita a un montón de teorías y cálculos, tampoco es ciencia porque no tiene leyes universales y de validez absoluta. En realidad la ciencia como tal no existe, nada es ciencia, nada puede ser científico. Son las tesis que expongo desde hace varios años en mis clases y conferencias

—puntos de vista sobre Rosicler no me parecen justos, yo creo que es un pendejo. Acabo de oír su programa semiliterario en Radio Universidad y nada más dice puras jaladas; claro, en forma rebuscada para que nadie le entienda y así lo crean genial, le encanta jugar. Dice: Soy oscuro por razones de claridad. Y ni siquiera dice que es cita de Hegel

—Quique vino expresamente de Puerto Rico a la charla de Ruperto; claras intenciones de ingresar en el Clan.

—Vino a trabajar en dos telecomedias, no creas

—Lo logré; pero a qué precio, tuve que dejar mis colaboraciones en *Siempre!* y en *Política;* me quitaban tiempo; aunque muchos desorientados y otros de mala leche sugirieron que las dejaba justo al momento de las elecciones presidenciales.

—sus renuncias, semejantes a la tuya, Ortiz Leal, Camarazo, Benavides y el propio Ruperto

—mis estudios en la Sorbona, en Harvard

—la sociología soy yo

—gracias a los rigores de El Colegio

—rápido, dejen de cotorrear, luego siguen las pláticas: en el chupe.

Amontonados en varios coches, los admiradores de sus propias obras y de Ruperto Berriozábal, partirán a casa de Rex Cótex a festejar el suceso y a hablar de cosas cultas de la cultura de la segunda mitad del pobre siglo XX; irán cantando *Winchester Cathedral* (reina del Hit Parade al momento), cada quien como pueda y como se la sepa, con los coches casi juntos ocupando el Paseo de la Reforma. En la oscuridad de un carro, Miguel Regueiro, insatisfecho, molesto, no cantará *Winchester Cathedral* sino algo de Cole Porter, de vez en vez se acomodará los lentes, como es muy flaco no tendrá problemas de espacio y como anda en los cincuenta años nadie se acordará de él, salvo Magdalena que lo invito y que irá sentada en sus delgadísimas y nada deportivas piernas.

RUPERTO BERRIOZÁBAL sí tenía estudios universitarios. Cursó dos años en Ciencias Políticas, cuando la escuela aún estaba en Mascarones. Ahí la incomodidad era habitual. Procuraba no entrar a clases y se iba al café de enfrente; si entraba, se dedicaba a escribir cuentos o leía algo ajeno al tema que trataba el maestro. Su conversación era variada, distinta cada vez, aunque casi siempre escogía la literatura o sus estudios en el extranjero, donde había pasado buena parte de su infancia y adolescencia; incluso fantaseaba, narraba cosas inverosímiles. Pero vivía en México y sus oyentes no acostumbrados a tratar viajeros, creían sin reserva cuanto les contaba. Estaba al día y como era de familia adinerada compraba absolutamente todas las novedades. A poco, el licenciado Trinitario Betes Bruzos le dio un pretexto para alejarse de la escuela. El primer día de clases, Berriozábal hizo varias bromas fáciles a costillas del anciano maestro de Constitucional; fáciles porque el profesor había colocado un letrero en el parabrisas de su coche: *Trinitario Betes Bruzos, jurista, teórico en abogacía, miembro del Instituto Nacional de Derecho Com-*

parado, Doctor Honoris Causa, especialista en Jus Privatam,
soluciono casos de Internacional Privado, doctor en constitu-
ciones, catedrático. Fuego 1917, Pedregal de San Ángel. 39-
84-73. Texto que deslizaba en forma de tarjeta personal a
cuanta gente se topaba en el camino y que incluía como
firma de sus artículos en *Novedades.* Por último, Ruperto
lo acusó de reaccionario, fanático clerical fascista, abogadito conservador, además de señalar sus deficiencias como
expositor de la materia. El joven no estaba alejado de la realidad: Betes era un tipo que en sus mocedades militó —como miles de mexicanos— en el Partido Comunista, pero que
al correr de los sexenios se fue transformando —como miles
de mexicanos— en reaccionario, para concluir en admirador de las ideas más nefastas y retrógradas por identificarlas
como productos de la Revolución Mexicana o de su lógico
desenvolvimiento. Bueno, el pecado de Betes fue adelantar-
se a los acontecimientos, o sea: el capitalismo nativo, penúlti-
ma fase de la mexicana revolufia. El pobre odiaba cualquier
cosa que sonara a socialismo. Su anticomunismo era impú-
dico. Y obligaba a sus alumnos a memorizar parrafadas de
Mein Kampf (Un decreto bienhechor del destino me hizo
nacer en Braunau, sobre el Inn). En ocasiones extremosas se
le ocurría deleitarlos con triunfales marchas nazis, grabadas
en 1939 y adquiridas mediante raros procedimientos. Y ay
del pobre que no estuviera de acuerdo con sus ideas o con
su vigente respeto por la intervención estadounidense en Co-
rea o tuviera simpatías por los judíos; sin remedio estaba re-
probado y ni pedir revisión de examen o cambio de maestro;

la dirección de la escuela respondía invariablemente: Muchachos, es la *libertad de cátedra:* respeten nuestra Máxima Casa de Estudios y su autonomía.

El licenciado Betes, que era muy moreno —típico espécimen de la raza bronceada: si Hitler hubiera ganado la guerra, estaría hecho un oscuro jabón del *Perro Contento* disolviéndose con macabra lentitud en el lomo de un pastor alemán—, sistemáticamente molestaba a los alumnos rubios o medio güeritos, que lo irritaban gratuitamente (ah: el mal ejemplo de la raza cósmica, jóvenes). Qué contradicciones: quizá le venían de su expulsión del PC. Cierta vez hablaba del concepto de sociología en Santo Tomás (sic). Citó en latín y la cita duró algo más de treinta minutos. Los alumnos estaban azorados, aperplejados; pero nadie se atrevió a interrumpirlo; alguien dijo que parecía cura; no lo oyeron; de hecho fue una misa. De pronto, el licenciado Betes cortó su explicación —¿explicación?—; y mirando las caras sorprendidas de sus alumnos se burló:

—Perdonen, olvidé que ignoran el latín.

En el acto, sin permitir una mínima protesta, continuó citando a Santo Tomás, ahora en español, imaginando ser, por el tono de voz y los ademanes, un fogoso tribuno de la etapa constructiva de la Revolución. Berriozábal salió furioso de la clase. Maldijo al profesor por payaso y ojete y les mentó la madre a sus compañeros por coyones. Una de las muchachas lo quiso detener para aclararle que él tampoco había hecho nada para impedir la ridiculez del profesor. Y antes de desprenderse rumbo a la calle dijo:

—Pinche viejo, es un cuadro abstracto, todo deforme por dentro.

Semanas después volvió a Ciencias Políticas. No obstante que se veía igual estaba cambiado: ya no le era posible tomar en serio la carrera, menos la Universidad, pequeño eco de lo que sucede en el ámbito nacional, con su autonomía de chocolate y sus estudiantes pensando a diario en la forma de enriquecerse tan rápida como ilícitamente.

FUE CUANDO conoció a los muchachos de la Juventud Comunista.

Ruperto entraba a clases, miraba fijamente a sus maestros y a cada frase de ellos soltaba una risita despectiva. Hizo lo mismo cuando el profesor Zamorales, como era habitual, recurrió a frases de Marx para impresionar, que cuando el de Teorías Históricas soltó aquello de que Engels y Marx dejaron ciertos libros a la crítica demoledora y dialéctica de los ratoncitos (para fortuna del marxismo y sus seguidores —entre los que por supuesto no estoy yo— tardé poco tiempo en reconstruirlos completos, íntegros, un poco mejorados). Y cuando el doctor (en filosofía) Blázquez, que se pasó la guerra civil española muriéndose de miedo a cada disparo, a cada grito, sin salir de su cuarto y sin combatir (a ello había ido), dijo que sacaran una mosca porque el zumbido acentuaba su neurosis adquirida en la defensa de Bilbao y regañó violentamente a una alumna que pasaba una hoja del cuaderno con sonoridad, Ruperto se largó del salón ante la mirada atronadora de Blázquez. Los maestros comenzaron a verlo con odio y decidieron esperar la época de exámenes para desquitarse de sus burlas. Después de todo, eran celebridades, notables ensayistas políticos, destacados luchadores intelectuales al servicio del país, inmejorables catedráticos, consejeros de la presidencia, y ningún jovenzuelo con pretensiones de literato iba a menospreciarlos.

Ruperto optó por no entrar a clases y en cambio militar, ser miembro activo de la Juventud Comunista. Pero no tan rápido: antes había que cumplir requisitos. Primer obstáculo: la familia de Ruperto es burguesa. Segundo obstáculo: a Ruperto le da por escribir cosas que nada tienen que ver con el realismo socialista, fuera de la línea del Partido. A pesar de ambas barreras ingresó en la JC; aunque le pusieron mil condiciones y quedó bajo la vigilancia de los camaradas más politizados. Así podría demostrar su fe inquebrantable, su amor al proletariado mexicano, su disciplina partidista, su cuidado por el carnet y otras cosas que le advirtieron en medio de feroz papalina que los jóvenes comunistamexicanos se colocaron para recibirlo como camarada de nuevo ingreso. Debemos tener cuidado hasta de nuestros padres, no debemos ser liberales, pueden ser agentes del FBI. No le cuente nada a su mamá por más que la quiera, qué tal si resulta ser de la CIA. El adolescente Ruperto comenzó a ver con suma desconfianza a sus inofensivos papás.

Las primeras actividades de Ruperto como cuadro profesional del marxismomexicano: pintas en la colonia Obrera, pintas en la Industrial, pintas en un rumbo siniestro, cuyas calles rendían perenne homenaje al trabajador cerrada de Hoz, callejón de Tractor, primera de Martillo, Yunque, etcétera.

Ruperto se quejó: Bueno, vamos a pasárnosla haciendo pintas en esos rumbos canallescos donde viven puros analfabetas, guadalupanos y carne de cañón del PRI; son patrioteros, un día van a lincharnos y no será una muerte gloriosamente revolucionaria.

Todos lo vieron con asco. Pobre Ruperto, todo mundo lo veía mal. Muy mal.

Mire, camarada, lo estamos preparando para tareas de mayor envergadura. Tenga paciencia, estudie y no objete las órdenes.

Ruperto asintió. De cualquier forma no quedaba satisfecho, él podría ayudar mucho más en otras cuestiones (qué división del trabajo tan mala). De nada servía su estancia en países latinoamericanos ni su ya aceptable estilo literario, si jamás le encargaban redactar volantes o manifiestos. Pero no era el único inconforme: en su misma célula había dos más cuyos puntos de vista eran semejantes.

¿Cuál centralismo democrático? Nos pasan las órdenes y no las discutimos. Deben pensar que somos retrasados mentales o algo parecido. Hay que luchar bien duro para que la Juventud camine mejor. Hay que estudiar y discutir y saber qué debe hacerse en México. A fuerza quieren resolverlo todo citando a Lenin y hablando mal de Trotsky. No quieren entender que hay tal confusión y tanta mierda que si el pobre de Lenin viviera y radicara en Mexiquito, andaría en la antesala presidencial. Idiota, idiota, pero en realidad no existe ninguna burguesía tan fregona como ésta que nos gobierna a su pleno antojo, encarcelando comunistas o medio comunistas cuando le da la gana y pregonando al mundo sus conquistas revolucionarias. Por eso el Partido y nosotros y la izquierda completa estamos dados a la madre. Y el PRI y la burguesía —controlando a nuestros obreritos y campesinos babosos— ganan de todas todas y hasta inventan y ayudan a la oposición y regalan curules a los que se portan mejor. Este país no tiene futuro: la Revolución lo empeñó. ¿Qué hacer, carajo? Nos va a cargar la chingada. Vean, por ejemplo, al cardenismo, dígase lo que se diga jamás fue revolucionario. ¿O puede serlo la demagogia? Cárdenas fue un apuntalador de la burguesía. El problema es que viviremos la crisis eterna de la izquierda. Mejor, como dice Revueltas: México vive y vivirá la revolución permanente de la burguesía. Y todo por bueyes. ¿En dónde están los comunistas inteligentes? Ya ven, uno de los nuestros mató al amante de una de sus ex esposas. Esa es la moral del marxistamexicano. Que nos acusen de fatalistas o de lo que sea, pero México está negado para lo positivo y con ello se habla de comunismo. Nos va a cargar la chingada. Verán si no.

Ruperto escuchaba y se confundía un poco. Los dos muchachos querían seguir en la lucha, pero no sabían qué camino era el adecuado.

Cuando sus dos compañeros consiguieron bocas y se fueron huyendo del país, Ruperto analizó su situación. Descubrió, entre otras razones de peso, que se aburría. Cuando supo esto un miembro de su célula, le dijo muerto de risa que se pasara a la sección de sabotajes. Ya no pudo más: aceptaba cualquier cosa, salvo molestias u ofensas a su persona; su vanidad lesionada lo obligó a buscar un pretexto para abandonar la JC, como antes lo había buscado para hacer a un lado la carrera. Más que justificaciones exteriores las necesitaba interiores; hablarse a sí mismo, perdonarse sus debilidades.

Tres meses más duró la espera.

Una fiesta para recabar fondos que serían enviados a China Popular, la que buscaba dar el salto, el gran salto industrial y que de seguro no podría dar, si México, o más bien, si el Partido Comunista Mexicano dejaba de enviar dinero, pesos mexicanos, para los pobrecitos chinos.

Ruperto vio el programa: Lunes: Teatro. *Esperando al zurdo,* de Clifford Odetts. Miércoles: Rifa de las obras completas de Mao Tse-tung (con las dos últimas cifras de la lotería nacional para la asistencia pública). Viernes: Mitin frente al monumento a la madre (acude, hablarán los camaradas Bergano y Culano, representantes de los campesinos pobres del sur y miembros de nuestro Partido). Sábado: Fiesta kermés para recaudar dinero (entrada cinco pesos; un caballero con dos damas, seis cincuenta; no dejes de asistir, varios conjuntos tropicales amenizarán la kermés revolucionaria. Trae identificación). Domingo: Conferencia sobre la economía china.

—Que Ruperto que siempre trae lana ponga para las copas.

—Ya alcanza para la otra botella.

—Ruperto, tú siempre andas entacuchado, eres un burgués.

—Yo no confundo el marxismo con la mugre, ahí la diferencia.

—Las contradicciones internas del país lo están poniendo al borde de la revolución socialista. Marx no se equivocó

—El conjunto Guapachosos de Izquierda interpretará la bonita melodía de corte revolucionario y de gran contenido humano

—Eres un desorientado

—cuando señalaba en *La ideología alemana*

—Yo no bajo a la mina aunque el amo me mate, taratatá, pom

—y trotskysta

—que todas las superestructuras están sujetas

—y si el amo me mata yo no bajo a la mina, bum, bum, cuaratás,

—un mierda revisionista y oportunista

—a la estructura económica y que llegado el mo

—tara cuas, tara cuas, el amo me da latigazos y tampoco bajo a la mina

—aislacionista y se me hace que también un espía de la Secreta

—mento todo

—gués

—junten más lana para licor

—ni a patadas yo bajo a la mina, bum, bum, oh ooh

Soportó.

Abandonó la fiesta de beneficencia cuando dos camaradas (Elena y Rosita), que poco antes se dejaban cachondear por dos revolucionarios, lloraban lastimeramente al recordar el asesinato de Julio Antonio Mella.

Armado de buenos pretextos, supuso Ruperto, dejó de asistir a las juntas y a las pintas. Fue amonestado telefónicamente y al reincidir en esa actitud, lo expulsaron por escrito, diciéndole que era un traidor al proletariado, un furioso capitalista, proyanqui, proimperialista, enemigo de las causas populares, mal mexicano, y una larga lista de acusaciones. Al final: Devuelva el carnet, que puede caer en manos del FBI.

Ruperto ya no recibió su expulsión: sus padres lo enviaban a Estados Unidos para que se distrajera un poco y se alejara de ciertas compañías. Al salir, abandonó también Ciencias Políticas. No dejó amigos sino puros conocidos que pronto se le olvidarían. Por su parte, él sólo recordaría algunos sucesos trascendentales como las misas de fin de cursos y las peregrinaciones a la Basílica de Guadalupe después de exámenes. Pero tiempo después, al convertirse Berriozábal en El Escritor de México (título que le dieron los intelectuales; quiénes; se ignora; pero ¿acaso se sabe cuáles fueron los que le pusieron Maestro de América al Maestro de América?), ellos, todos los que integraron su generación y algunos de generaciones arriba y abajo de la suya, se apresurarían a adornarse con los amigos, novias o cuasi esposas:

—Estudié con Ruperto Berriozábal, sí, la carrera completa.

—Platicábamos en los descansos y en clases nos sentábamos juntos, ¡cómo lo extraño!

—Alenté mucho a Ruperto, lo animé a que siguiera escribiendo y él solía enseñarme sus cuentos, todos muy buenos, a algunos yo les hacía correcciones de detalle, pero apuntaba a ser excelente escritor desde entonces.

Quizás esos comentarios, al multiplicarse, ayudaron a formar una corriente de opinión que afirmaba: Berriozábal es licenciado en Administración Pública, pues miles de compañeros suyos juran haber asistido a su examen profesional y haber bebido con él en la recepción; y otros dicen que conservan un ejemplar autografiado de su tesis. Ciertos críticos extranjeros añadieron, por esto, un título más a Ruperto.

Cuando regresó de los Estados Unidos ya no quería saber nada de política o de universidades. Se encerró en su casa a escribir una serie de cuentos que había imaginado durante el viaje. En esa época, Ruperto veía poco a sus amigos, evitaba hacer nuevos y se divorciaba de su primera esposa (una mexicana que conoció en Norteamérica y con la que contrajo matrimonio sin pensarlo).

Escribía y luego mostraba lo hecho a dos o tres escritores destacados, que se lo corregían, le daban consejos, bibliografía, le recomendaban influencias y lo alentaban. Al regresar a su casa hacía nuevas correcciones en las correcciones y sus secretarias pasaban en limpio las cuartillas. Pronto quedó concluido *Primeras cantigas,* el libro que lo lanzaría a la fama.

De Ruperto Berriozábal, millonario por nacimiento, escritor genial, nadie podía decir que era un solitario, puesto que tenía una corte que lo correteaba por toda la ciudad (ninguno lo hizo fuera por falta de recursos, ese lujo sólo era para Culeid y para Rex Cótex, también riquillos); sin embargo, resultaba inalcanzable, salvo los mencionados, y dos o tres más, ninguno podría decir: Yo fui íntimo amigo de Ruperto Berriozábal, sólo que fuese un gran hablador.

Rex Cótex había nacido bastante después de lo previsto por los médicos. Una semana íntegra de retraso. Ya todos pensaban que iba a nacer muerto. Hasta la cocinera opinó: De seguro este niño ya se deshizo en la panza de la señora. Pese a todo, la madre aseguraba que la criatura aún pateaba; que lo sentía claramente. Los médicos, como de costumbre, conjeturaban sin coincidir, pero recetaban según sus preferencias.

El nacimiento de Rex acabó con las discusiones. Aunque tarde, nació sano, robusto, bello. A partir de entonces, Rex llegaba retrasado a todo. A los siete años todavía tomaba leche en biberón y poco antes la niñera sufría viéndolo gatear, mientras que los demás caminaban perfectamente erguidos. Cuando sus padres lo inscribieron en la primaria del Instituto México, los niños de su misma edad, en condiciones normales, pasaban al segundo año. Así fue en la secundaria y luego en la preparatoria y en la escuela superior (letras inglesas) y jamás pudo sustraerse al sino fatal que en mo-

mentos se recrudecía: al concluir sus estudios, una enfermedad lo obligó a posponer su tesis y su examen profesional;
debido a ello fue el último de esa generación (que desde luego
no era la suya) en alcanzar el título. Por esas razones siempre
era el mayor en la clase; hecho que visualmente no se aceptaba: sus frescas facciones daban la impresión de menos edad y
su forma de vestir era la de un adolescente adinerado, simpa-
tizante de las modas norteamericanas. Rex acababa de aprender a bailar swing —ya crecidito para ello— cuando hicieron
su aparición el mambo y el cha-cha-chá; y cuando hubo do-
minado estos ritmos, el rock and roll pasaba la frontera norte
en medio de gritos histéricos, guitarras eléctricas y baterías.
Lo mismo le sucedió con las modas musicales subsecuentes.

Al llegar a la adolescencia, sus primos y amigos se mas-
turbaban frenéticos en cualquier rincón de sus mansiones,
mientras Rex no encontraba para el miembro otra función
que la de orinar. El mismo retardo tuvo en las relaciones
sexuales: al filo de los veintiuno (comenzaba a escribir en
un suplemento de importancia) se acostó con una mujer,
usada repetidas veces por sus amigos y hasta por sus primos menores.

Sin embargo, Rex ponía voluntad y deseo de superación
en los actos de su vida, como intento supremo de estar al
corriente de lo que pasaba a cualquier muchacho de evi-
dentes cualidades literarias. Para lograrlo, se encerraba en su
recámara o iba a casa de una tía solterona y además poetisa,
a practicar, a tratar de franquear la barrera que en ese momento se le interponía. Ahí aprendió a bailar y algunas otras

cosas. Sólo que cuando, entusiasmado, mostraba sus conocimientos sobre esto o aquello, propios y extraños estaban dedicados de lleno a otros juegos, a nuevos bailes, a diferentes pláticas, a lecturas de diversa índole; entonces Rex regresaba a su recámara o a la casa de la rica poetisa para ponerse al tanto. En una época de extraordinaria velocidad, el problema de Rex era: lo que hoy tiene validez, mañana es anticuado.

Los amigos de Rex lo acusaban de idiota y de subdesarrollado, pero nunca se lo decían personalmente: eran meros comentarios en voz baja, repetidos de manera respetuosa a los millones de su padre, el general Cótex, prominente político del revolucionario e institucional partido. El general, debido a sus tareas públicas, se mostraba más interesado en los gravísimos problemas del país, que por los problemas normales que padecía su hijo único. Es natural, ya se le pasará. Y corría a hacer antesala en la oficina del señor presidente.

La madre de Rex realizaba las tareas que corresponden a una dama mexicana de buena posición (social y oficial): jugaba canasta, asistía a exposiciones caninas y a las de nuevos modelos de ropa íntima, visitaba campesinos paupérrimos, no fallaba a la ópera ni al salón de belleza y ayudaba a la primera dama del país a distribuir desayunitos escolares (cuarto de leche agria, un plátano pasado, dos galletitas rancias), organizaba té-canastas (a beneficio de los papeleritos huérfanos) y era un firme pilar en la preparación del baile de las debutantes. El poco tiempo que dedicaba a su hijo, pensaba profundamente: Es guapo, estudioso, no tiene

malas amistades, no es comunista, su porvenir está asegu-
rado/ No tenía razones para preocuparse.

Rex, por su parte, estaba dispuesto a ser un buen novelista. Lo demás no le importaba gran cosa, mucho menos la
carrera de su padre: la política. Para ser artista hay que hacer
arte y olvidarse del mundo. Rex le achacó la frasecita a Rim-
baud y nadie lo discutió.

LA FIESTA rápidamente se improvisa en casa de Rex (sus padres andan conociendo por cuarta vez el continente europeo). Sacan varias cajas de whisky, aguas minerales, coca-colas
y abundante botana. Ponen discos de música moderna: los
Byrds para empezar, el estereofónico hace que las parejas bai-
len. Los concurrentes se apresuran con el whisky y forman
cuatro grupos, según afinidades o intereses. El I es el de mayor importancia, pues está Berriozábal rodeado de amigos y
admiradores (unos veinte): su conversación, ágil y erudita,
llena de anécdotas espléndidas, hace que pocos hablen: lo
miran, se ponen serios, ríen, se indignan, mientras él expone; sus oyentes se limitan al sí, claro, cómo no, efectivamente, por supuesto, es indignante, ¡qué bueno! Con Berriozábal
están su esposa y Culeid, quien trae una gabardina orolesca,
otros escritores de su misma generación y algunos pintores
(culeidistas, naturally) y artistas poseedores de fama. Se critica
ásperamente al nacionalismo, al chovinismo, al patrioteris-
mo, al folklore: entonces sí interviene Culeid que es maestro
en esas ondas. Sus palabras son fuertes pedradas a la pintura

mural y a sus autores. Riveroll se incrusta para afirmar que la novela de la Revolución mexicana (en sus dos aires) ni es novela ni es revolucionaria. La novela revolucionaria eres tú, Ruperto. También se burla, con mucho ingenio y en forma antisolemne, como suele ser, de los artistas e intelectuales de calzón de manta y huarache: Son unos tarados y los verdaderos reaccionarios. Creen que solamente se puede ser revolucionario en lo político. Y le cuenta en detalle el choque que tuvieron los cosmopolitas contra las huestes del folklorismo. Berriozábal lo mira con interés. Riveroll es un joven con mucho futuro. A los veinticinco años ha logrado ser el amo de la sátira, el látigo de los serios y un antologador de maravilla: tuvo el acierto de incluir a todos los cuates, sin dejar uno afuera, en un grueso volumen de poetas, y justificar en el prólogo las exclusiones con muchísimo ingenio. De los jóvenes —pese a que hay tres o cuatro novelistas geniales— es el más discutido. Soy protopocho, se autodefinió, y se formaron equipos para polemizar sobre la aseveración de Riveroll: unos en contra, pero el resto, mayoría, a favor. Sus enemigos y detractores hasta vigilaban su casa para descubrirle pasos en falso y quemarlo en grande, ponerlo como camote en todos los periódicos. En cambio, sus admiradores, que ya suman varias centenas, lo siguen en sus repetidos viajes a la Casa del Lago y al cine-debate. Julieta O'Jaldra —en su leidísima columna— lo señaló como el futuro gran novelista del humor negro.

En el grupo dos romano se baila, se bebe más que en el I, se cuentan chistes y chismes. Rosicler anuncia su riguroso e infalible estriptís mental: en medio del regocijo absoluto dice que va a contar sus traumas y sus complejos y a narrar algunas situaciones de la problemática familiar. Un tipo anda disfrazado de Batman. Otro reparte novelas suyas y las dedica. Alguno más hace lo mismo con un libro de ensayos sobre arte (recopilaciones de cinco años de intenso trabajo y de colaboraciones semanales en *Siempre!* y en la *Revista de la Universidad*). Afortunadamente para los repartidores, ya todos tienen ejemplares; sin embargo, insisten en buscar gente que no los tengan. También en este grupo hay damas escritoras. Se mueven constantemente entre los hombres y se dejan besuquear y manosear sin razonamientos burgueses, moralizantes. Marta y Flavia prefieren hablar del sexo en Henry Miller (y a veces filtran el sexo de Cótex en la conversación). Por el contrario, Meche, Eva, Anita y Cristina no hablan de temas profundos: en las fiestas los abandonan para dedicarse en exclusiva a vivir intenso y en la superficie. Son las que fajan con los intelectuales del primer sexo (los del tercero, distribuidos estratégicamente en los cuatro grupos, entre guasas y cotorreos andan a la caza de algún jovencito inteligente y cuero). Boyd Ramírez, quien tiene su estudio en la zona rosa, con zeta y erre mayúsculas, cuenta la bronca que se armó en Confrontaciones Pictóricas. Ornelas habla del premio Alfonso Reyes y de su importancia dentro del ámbito literario. Dice cómo creó el galardón y lo difícil que resulta seleccionar al triunfador anual. Las tres primitas Corrillo, coñac, martini seco y cuba en mano, platican indistintamente con los del grupo IV y los de éste. Escuchan, hablan y al parejo preparan sus notas críticas de la semana entrante. Las tres tienen aficiones culturales desde hace poco tiempo; y escriben teatro, cine, ensayo, novela, cuento, poesía, según las aficiones del amante en turno. Breques elude cualquier tema que no sea ciencia ficción; lo desglosa minuciosamente y al volverlo a unir crea una de sus novedosas tesis. En ocasiones gusta hablar sobre budismo zen. De cine discuten los dos mejores críticos: Negrino Blanz y Jeorge (así lo escribe) Férez; no tienen más aspiración que salvar al cine nacional, dar al público culto un cine nuevo e inteligente; si en el camino para crearlo se enriquecen y se desvían, regresando al churrismo, no es problema de ellos, sino de quienes no supieron entender sus intenciones y su capacidad; de esta última han dado pruebas, basta ver sus películas experimentales: buenas de verdad, basadas en cuentos de Berriozábal y Cótex. Bartles, el director de teatro (también experimental), el que logra un éxito con cada obra, el que consagra artistas, nada más echa relajo y busca a quién conquistar. Nora —maestra en literatura e inteligente escritora que trabaja la línea del periodismo cultural: críticas bibliográficas, entrevistas, ensayos— insiste como nadie en poner sólo música a go-gó en las fiestas. Julieta O'Jaldra reparte alcohol. Y todos en ese grupo hablan, ríen, oyen, cantan, bailan, beben, alborotan y se jalonean parejos, simultáneos, a la vez, al mismo tiempo e iguales, tal como lo narraría FP si perteneciera al Clan.

En el grupo III de la fiesta se han reunido —en torno a una discusión bastante seria sobre la problemática revolucionaria de México y sobre las posibilidades de transformar el país, esto es, hacerlo socialista, aprovechando los nuevos rumbos que la dinámica ha impuesto al mundo entero— los diputados Monegal y Julios (los más jóvenes de la cámara baja, apenas tienen los constitucionales veinticinco, años), Salas Toledo, jefazo de las juventudes priístas e igual que sus amigos y compañeros de partido: campeón de oratoria y orador oficial del presidente; Ortiz Leal, filósofo marxista (guapo, culto, elegante y distinguido); ¿quién los habrá invitado?; parece que fue Riveroll, afecto a codearse con políticos oficiales. En la conversación sobresalen el investigador de tiempo completo en el Seminario de Importantes Estudios Sociológicos Camarazo Losa, y Benavides, ex jefe del Clan (cedió voluntariamente el puesto a Berriozábal), autor de libros muy importantes, entre los que destaca *Cien recetas para guisar hongos alucinógenos*. Más allá un público compuesto por cinco o seis tipos que no hablan para nada: escuchan y beben con furor.

En el grupo IV están presentes los benjamines de la literatura nacional: ninguno pasa de los veinte. Beben casi tanto como en los grupos I, II y III. Los rodea una espesa nube de humo: fuman como desesperados, algunos tienen la mota lista y esperan el momento adecuado para extraerla del bolsillo. En una metáfora sangrona Rosicler, que le trae ganas a uno de ellos, grita con voz estentórea: Más que de tabaco la nube parece brotar de la mente de cada pequeño genial escritor que piensa en su futura obra: en una aureola de inteligencia. ¡Carajo, no se puede! Sus pláticas doctorales cruzan con rapidez los más variados terrenos culturales: de cine, de teatro, pintura, de filosofía, de las últimas revistas literarias, de los más recientes best sellers (incluyendo los suyos): critican todas las posiciones artísticas que no sean las propias: un común denominador los une: la literatura de adolescentes. Para ellos poca gente posee méritos, su rigor es extremista. Deleitan a los ancianos. Asimismo chismorrean sobre el otorgamiento de las becas Lezano: dejan mal parados a los ganadores y los que perdieron se justifican ante los cuates: No leyeron con cuidado mi material, cabrones. Nadie habla de política, para qué, es bajo, demodée. Este aspecto los diferencia de Ruperto quien gusta de hablar y hasta escribir sobre ella (seguro influido por Ortiz Leal y González Pérez). Lista de jóvenes intelectuales del grupo IV: tres novelistas: Alberto Alva (aún inédito, pero por sus fragmentos publicados un viable hit), Roberto Cafarel y Pedro Guía (famosos por sus novelas de adolescentes que causaron furor y rapidito llegaron a la tercera edición; también hábiles para la publicidad); cuatro poetas de verso libre: Alejandro Ave (muy mediocre, bastante, pero simpático, fanfarrón y con buenas relaciones: su modesto empleo le permite invitar a comer seguido a los consagrados), Carlos Ponce, descubierto por Rosicler, Elvira Flores y Laura Ortega, las dos bonitas, dueñas de aptitudes poéticas poco comunes; el resto: cinco cuentistas (dos publicados, tres no) y seis muchachos cultos que no escriben ni hacen nada, sólo son cul-

tos. La mayoría, igual que la generación anterior y la de Berriozábal (con diferencias de cinco años entre cada una) pasaron por la beca Lezano. Los de menor edad desean hacerse
amigos de los grandes de la literatura; su otra ambición es
llegar al colmo de la fama y la riqueza, sin importarles los
métodos.

ESTABA yo en París con Carpentier, Cortázar y Vargas Llo-
sa cuando nos presentaron a Jean-Paul Sartre, es un buen
hambre, disciplinado y esas cosas que tanta falta le hacen al
mexicano; somos huevones intelectuales, nos choca pensar
en grande, crear en grande, realizar obras de altos vuelos, ¿dónde están nuestros filósofos de primera línea, nuestros escritores de magnitud gigante, nuestros músicos universales,
los científicos de niveles superiores? Nada, no hay nada. Hacemos lo que ya se hizo en Europa hace cincuenta años y
en Estados Unidos hace veinticinco y sin talento ni audacia, copiamos sin avanzar, sin ir más allá del fusile vulgar.
Para fortuna del país habemos gentes dedicadas a producir
cosas en verdad importantes. ¿Verdad? Sí, decía, Sartre *fue*.
Ahora su pensamiento se ha hecho estático, sus ideas han
encanecido; puede que la culpa la tengan sus coqueteos con
el marxismo: no es posible conciliar una actitud existen-
cial con una conciencia colectiva. Tienes razón, Ruperto,
siempre tienes razón: cada frase tuya, cada pensamiento es
toda una tesis; coincido plenamente contigo, igual que otras
veces. Háblanos de tu pasado viaje a Nueva York (varios

pares de ojos vidriosos se fijan en él; sigue circulando el licor; las notas de *Help* llegan con violencia del grupo II, posesionado del tocadiscos, hasta el grupo I).

SOY BATMAN, soy Batman, ¡Wamp!, ¡zoom!, ¡crash!, ¡pump! Where is Robin? I'm here, Batman. No se la jalen tanto, mamones. Quítate ese disfraz. (Cuerpos sudados que se contraen. Estómagos con lagunas de whisky y agua mineral o de ron con coca-cola o de todo mezclado. Mentes deseosas de diversión, con ganas de echar relajo). Rosicler está confesándose (es un juego sicoanalítico que inventó él mismo): Callen, malditos: mi madre es católica y burguesa, mi hermana resultó protestante y lesbiana y yo soy ateo y joto (risas. Se ponen exactamente en el centro del grupo, con las manos hacia el techo). ¡Ateo no, joto sí! Tengo un dios que no es como todos los demás dioses ni como el ridículo y anacrónico dios de los cristianos. Mi dios es diferente, muy especial. Se llama Curlilux y es camp, aunque a veces es pop (muchas risas). ¿Se lo imaginan? Claro que no, no pueden. Además, tampoco yo lo imagino. De cualquier modo, sé que protege a los intelectuales a go-gó como nosotros. Nos cuida en cada fiesta, en cada conferencia, cuando escribimos, cuando leemos, cuando fornicamos, Curlifux nos protege. Nadie hable. Callen los pequeños ante los grandes; ahora viene lo mejor. Dada mi mariconería y mis múltiples complejos, en lugar de amor hacia mi madre lo tengo por mi padre: es el complejo de Electra (carcajadas). No se alarmen, mi pa-

dre es un cuerazo, el amor es justificable. Igual que Wilde
detesto a los idiotas y a los feos. (Se alzan los vasos. Entre
risotadas y aullidos de relajo mundanal brindan por Rosicler
que-ha-dicho-y-hecho-lo-mismo-desde-que-radica-
en-México.)

TE DIGO, viejo, que se ha superado bastante: me acuerdo
que al principio creía que *La sagrada familia y otros escritos*
era un libro religioso editado por el Opus Dei. Qué tonte-
ría. Estoy cansado de repetirlo: México únicamente podrá
salir del subdesarrollo mediante el socialismo; el problema es
que debemos implantarlo por medios pacíficos, nada de sangre y revoluciones, son una latita. ¡Te imaginas!, ¿yo de guerrillero? Es preferible el debate parlamentario, ideológico,
con la burguesía, como en Chile o en Italia; tenemos que
probar que es una clase caduca y proimperialista y demostrar
al mundo que México tiene su propio camino para llegar al
socialismo, así como cada país tendrá que buscar el suyo.
Salud. Es cierto, Camarazo, el mejor camino para que el
país progrese, tenga justicia social, se liquiden las diferencias
sociales y económicas, es obligar a la Revolución Mexicana a seguir hacia el socialismo no importa cuán lento sea el
tránsito. El avance no es tan lento, mi estimado Monegal: no
hay comparación posible entre 1910 y 1967. Claro, lo que
nos obliga a seguir al PRI, a hacerlo partido único que pre-
pare el advenimiento del marxismo en sus diversas etapas.
Es nada más seguir el ejemplo genial de Jorge Domínguez

y su Teoría: La Revolución Desde Adentro. Ni a Lenin se le hubiera ocurrido. Bueno, hay que procurar ser objetivos, Lenin no tuvo situaciones parecidas y vivía la creación del socialismo en un solo país, lo que originó guerra civil e intervención extranjera con sangrientas consecuencias. Pero en la forma que sugiere JD no tendremos que derramar sangre, nada más sudor. Salud. Un tiempo. Salud (este brindis es aprovechado por Benavides para pasarse al grupo I, con sus amigos, ya no soportaba más las sandeces de los priístas radicales, qué país). Un socialismo auténticamente mexicano inspira a los postulados de la Revolución y ha quedado plasmado en la Constitución del 17, la más avanzada del mundo. Nuestro socialismo no procede de ninguna teoría exótica o extranjerizante, nació de las realidades impuestas por nuestra fisonomía y nuestra idiosincracia. Salud. No pasemos por alto que la Revolución de Octubre se hizo nueve meses después de entrar en vigor nuestra Constitución. Toda la tesis marxista es caduca, obsoleta. Marx conoció un proletariado sujeto a condiciones infrahumanas, ahora el proletariado se incorporó al progreso y goza de los beneficios de esta época moderna. Antes era una masa, digo refiriéndome a los obreros, hambrienta, miserable, ahora, especialmente en México, vive bajo condiciones excelentes que el pobre Marx nunca soñó. Como diría el poeta, el trabajador ha sido redimido sobre su propio lecho de dolor. Ahora debemos preparar *nuestro* socialismo, más justo y generoso, y ver hacia dónde se dirige. Es más o menos lo que dije ayer en la Cámara. A propósito, Julios, hemos conseguido aprobar algunas reformas constitucionales en el sentido de preparar a nuestra estructura económica para el radical giro: no se vaya a derrumbar la moneda o se provoque inflación. El número de votos a favor de las iniciativas fue abrumador, hasta los diputados de partido nos dieron los suyos. Otro aspecto que hay que cuidar son las relaciones con los Estados Unidos; cuando seamos socialistas mexicanos tendremos que ser cautos; esto se arregla respetando las inversiones extranjeras y el sector privado. Volviendo al tema central, me parece que hemos escogido un camino intermedio entre la social democracia y el comunismo en sus formas menos radicales, algo así como un socialismo blando o semiduro; la humanidad está harta de guerras y muertes. Exacto, exacto. Yo no discrepo en lo medular, sin embargo, tengo mis reservas en cuanto a los métodos a seguir. Recuerden mi polémica con el senador Domínguez. Mis afirmaciones no son improvisadas, sino sujetas al rigor implacable del estudio y la dialéctica. Desde mis cursos en Europa comprendí que la forma más revolucionaria de hacer la revolución es la del estudio. Lo digo con conocimiento de causa, ustedes saben, ocho años dando clases en la Universidad. Los problemas tienen como origen la falta de estudios, de preparación del mexicano; debería aprovechar los cursos de alfabetización por TV, digamos. ¿Leyeron mis artículos pasados? ¿Observaron que mis análisis son eminentemente dialécticos? No empleo la dialéctica marxista sino la hegeliana, pese a que digan que está al revés, y se debe a dos razones: una, Marx tuvo muchos errores —aquí hemos visto algunos—, hay que revi-

sarlo; dos, soy miembro del PRI desde hace ocho años. Ortiz Leal nada ignora; es un filósofo de primera línea. Sí, los
jóvenes me agradan; personalmente estoy más identificado
con la obra de Berriozábal. Pero esta cosa que Riveroll de-
nomina antisolemnidad es ir al día, es épater le bourgeois.
Y si bien es cierto que en otros países lo asustaron hace tiempo, también es muy cierto que aquí teníamos una revolución y todos los intelectuales estaban participando en ella, al
menos los mejores, los más importantes. ¿No es lógico nuestro atraso cultural?

EN EL grupo II cantan (And I need a job so I wanna be a
paperback writer). Siguen chupando alcohol en grandes cantidades. Y por supuesto, buscan la(s) forma(s) de divertirse
más todavía. En la música puede estar la ayuda para dol-
chevitear. Julieta O'Jaldra sigue repartiendo jaiboles y cubas.
Deja su tarea momentáneamente y le impide a Bartles poner discos aburridos de Peter, Paul and Mary. Perdona, a
Rosicler le choca la música folklórica, tanto la gringa como la mexicana y la china. Al propio Peter Seeger lo detesta, nomás le pasa Dylan porque lo conoce y le fascina como
se lima las uñas. Juana Báez tampoco. No insistas. Pon tam-
borazos, hay que bailar afro sobre la mesa de billar. Ármen-
se, nada de manos vacías y estómagos secos. ¡Animen a ese
anciano! Que nadie quede fuera de onda. Miguel Regueiro se niega a acercarse a la mesa de billar y Magdalena, un
poco borracha, decide acompañarlo. Le cae bien. Ligan unos

tragos y mutuamente se cuentan sus penas, pero en riguroso orden cronológico: Regueiro empieza, los mayores primero, va a empezar, pero recuerda —vieja caballerosidad—, ah, no, primero las damas.

ESA REVISTA es de puros ancianos, nadie de la nueva ola publica. Si quieres meter tus poemas hazlo en *Punto de arranque*, es maletona; la ventaja es que son puros jóvenes jóvenes. Deberíamos hacer una revista bimestral que publique a menores de dieciocho años, con notas sobre rock y artículos de la ola inglesa. Desde que Riveroll se hizo best seller está insoportable. No deja de tener razón, es difícil vender una antología poética: se debe antologar a muchísimos para convertirla en hitazo; de esa manera compran el libro —por caro que sea— los elegidos, sus familiares y los amigos de ambos grupos. Anda pegado a esos mafiosos del Clan; ahorita está con ellos, véanlo. La novela es buena, de las mejores que he leído, su francés es espléndido, ignoro por qué no la han traducido al inglés. Oye, éste también escribe sobre adolescentes. Se cree cuentista genial; me dijo: Pues mis textos son buenos, no son como los de Borges o Cortázar, pero tampoco andan por debajo. Reconozco la influencia de Berriozábal en mi última novela; sin duda la de Cótex es más evidente; se lo dije a Rex y se puso feliz: será porque juntos leímos a Salinger. Léete su prólogo, sí, el que escribió para la pasada edición de su libro de cuentos; es de risa loca, dice que desconfía de la literatura actual y que vive del recuerdo de los clásicos. Como dice Otaola: vive del recuerdo y tiene mala memoria. Las influencias son buenas si se asimilan perfectamente, como en el caso de Ruperto. Pobre del cuate que no tuvo maestros. Escribo simultáneamente una novela, dos obras de teatro y un libro de cuentos. Parece mentira, abandonó al magíster y todo por ese poetastro de ínfima categoría; así son las cosas: qué falta de inteligencia. Y sus poemas, como dijo Riveroll, parecen de Mayakovski en gloriosa traducción de la Guerrero. Cuando pase de regreso Quique, pregúntale cómo a los quince años ligó el papel de Judas en la película *Dios mío, sufro mucho,* y antes de que responda suéltale que conoces bien al productor, a ver qué te dice. Aprobé todos mis exámenes en Letras; ahora, a la literatura de lleno, antes de que salga mi novela quiero terminar otra. La beca Lezano me cayó de perlas, andaba sin un clavo. Pobre tipo, me da lástima, cada año solicita la beca; por lo tanto ya se le pegó a dos influyentes del Comité de Becas y a cada rato les lleva miles de cuartillas afortunadamente inéditas; es el perfecto lambiscón; si fuera político andaría abrazando a todos los funcionarios y trayendo y llevando recados im-por-tan-tes. Lo peor es que sus grillas son elementales, nadie deja de observarlas.

AÚN CUANDO las clases de la Facultad de Filosofía y Letras habían concluido, en el café y en los corredores los alumnos arracimados platicaban animadamente. Magdalena permanecía con una amiga. Fumaban. Al frente, dos sidrales.

El descaro con que Magdalena miraba el refresco evidencia-
ba sus ganas de verlo metamorfoseado en jaibol. Su conversación —igual que la de otros jóvenes letrados y filósofos—
se encerraba entre los reducidos límites de la escuela (temas
de clase, profesores, compañeros de aula, libros solicitados
para las materias y así). Nada extraodinario. Magdalena, de
buen humor, estaba tolerante y no movía la plática hacia
rumbos mejores; por otra parte sería inútil: su amiga igno-
raba los libros de Berriozábal o con quién andaba Rex ahora,
por ejemplo. Las mesas del café se iban quedando solas; los
ruidos, sin que nadie lo notase, desaparecían. Alumnos que
después de sorber con solemnidad su té de manzanilla, recogían una montaña de libros y: Pobrecito, le preguntaron
por los elementos fenomenológicos de la metafísica de Hus-
serl y se hizo líos; o: Entra a la clase de Literatura Concreta,
es buenísima: nada de esquemas, la maestra siempre llega
al meollo profundamente; ayer destrozamos a Gorki. La compañera de Magdalena miró su reloj: era tarde, las diez pa-
sadas. Dijo que tenía que irse, el cloch de su Barracada no
funcionaba bien y no quería quedarse a medio camino en
pleno periférico. Recogieron sus libros y los metieron en sus
respectivos morrales adornados con estambres de vistosos
colores (quedo y discreto homenaje a los huicholes). Un te
acompaño a la puerta, voy a esperar a mis padres, fue todo
lo que le dijo Magdalena a su amiga, la que acostumbrada
a esas actitudes asintió. Caminaron hacia la puerta. Se despidieron con un beso cursi en la mejilla.

Magdalena desanduvo el camino llegando hasta las oficinas de la Facultad, ahí se posesionó de un sillón. Del morral extrajo un diminuto radio transistorizado y un libro de Grass (de moda entre los universitarios cultos que ha tiempo superaron las obligadas lecturas de Hesse). Encendido el aparato, puesto en una estación de música selecta, el libro fue abierto al azar.

Once treinta pm: en la mal planeada amplitud de la Ciudad Universitaria, el silencio se divertía con los escasos ruidos que a esa hora se escuchaban. Ya sólo quedaban unas cuantas luces en los edificios principales. Grupos de alumnos rezagados caminaban rumbo a la terminal de camiones, imaginando su futuro entre cigarros y mentadas de madre. Magdalena puso los pies sobre el sillón. De algún lado se filtraba aire frío. Las puertas de los salones eran cerrados por un mozo, debidamente uniformado y con un escudo en la gorra gris que de cerca permitía leer: "Por mi raza hablará el espíritu". Al pasar frente a la muchacha se detuvo a mirarla. Ella también le echó una mirada larga o al menos eso supuso. El mozo continuó con su labor, ella leyendo *El tambor de hojalata*.

Unos pasos sonaron en el piso superior, bajaban las escaleras, se escucharon con mayor claridad: apareció un hombre vestido elegantemente, a la moda.

—Buenas, profesor.

—Buenas noches, señorita. ¿Tan tarde aquí?

—Espero a mis papás.

—¿A estas horas? —mirando su reloj.

—En ocasiones llegan tarde. Cuando se descompone mi coche siempre vienen a buscarme.

Breve silencio:

que el profesor aprovecha para mirarla con curiosidad poco docente; era la alumna más destacada y talentosa y desde la primera clase había advertido su buen cuerpo; procuró estar brillantísimo e hizo que Magdalena ni un momento le quitara la vista de encima

(le podría decir: La llevo a su casa, mi coche está en el estacionamiento; si no tiene prisa podemos tomar una copa en donde usted guste).

—Sí, maestro, acompáñeme hasta la llegada de mis padres, claro, si no es molestia.

El profesor tomó asiento; justo del lado donde ella tenía las piernas subidas, apenas cubiertas por la falda estrecha.

La FIESTA está mejor que al principio; de eso se trata: que las ondas vayan en ascenso permanente hasta alcanzar la sublimación total, el clímax. Rolando sirve whisky en un florero de vidrio soplado. Párale, ya te echaste media botella. Bebe. Los ruidos musicales obligan a los de los grupos I, III y IV a hablar en voz muy alta. sonora. Rolando anda a gatas. No obstante, conserva su sentido del humor y es la forma de perseguir a Meche, la ex amante de Camarazo. Le improvisa unos poemas. Aburrido al fin se acerca a Rosicler que intenta ligarse al jovencito que poco antes traía Tello (quien fue a quitarse el disfraz de Batman). Al oído:

¿Ya conoces mi Autoanálisis? Me lo pidieron apenas la semana pasada, creí que nunca lo harían, Berriozábal escribió el suyo hace tres años. ¿Te lo leo? Rosicler deja de ligar: ¡Oigan, oigan!, música de fondo: Bespis va a leer su Autoanálisis. Attention, please. Prepárense a escuchar a una de nuestras glorias. Quitan el disco de afro y el grupo II cierra filas; algunos del IV se acercan; lo mismo hace Riveroll que tiene el suyo en preparación (la revista del INBA no deja a un buen escritor sin Autoanálisis). Haciendo escándalo ponen cerca del grupo la cantina portátil. En él, Ruperto habla de las perspectivas de los mejores escritores latinoamericanos, a quienes conoce personalmente y cuyas cartas se publican siguiendo una idea de Lépiz (Qué tal si revivimos el género epistolar a nivel latinoamericano y luego mundial y publicamos todas las cartas en un libro: *Epístolas Maximun*). Los del III desmenuzan las ideas de Jorge Domínguez: son la clave para el futuro. Salas Toledo, con su oratoria fabulosa, salta de un punto a otro. Es notorio su conocimiento de JD. Julios y Monegal le explican a Ortiz Leal el destino de Domínguez: Será el gran caudillo del socialismo mexicano. Bespis agita la melena. Me gusta la obra de Berriozábal. La de Cótex. La pintura de Culeid. La zona rosa. Las notas de Rosicler en *Excélsior*. La obra del maestro Novo. Un tantito Robbe-Grillet. Otro tantito la Sarraute. Lamento: ver películas mexicanas. Vivir en este subdesarrollado y folklórico país. No escribir tan bien como Wuith. Duermo: muy bien (luego de escribir dos o tres poemas). Suelo reír: de los cincos millones de poetastros que tienen que publicar en sus propias revistas. Gozo: comiendo bien. Bebiendo mejor. Leyendo como desorbitado (leo cuatrocientas páginas diarias en distintos idiomas). Viendo mis libros publicados. Soy sentimental: cuando veo niños que venden chicles o periódicos a las cuatro de la mañana, bajo una lluvia pavorosa. Soy tacaño: al pagar la cuenta de mis admiradores pobres en Sanborns. Me aburre: la literatura solemne. La totalidad de la literatura rusa. Las camisas de cuello duro y las corbatas. Bertolt Brecht. El realismo socialista. La política. Me preocupa que no todos me puedan leer. Detesto: a la gente pobre. A los viejos. A los que tienen prejuicios aristócratas. A los malos escritores. Odio: a la pintura mural. A los indios mugrosos. A los overoludos. A la literatura mexicana salvo geniales excepciones (adivinen). A los clásicos. Al barroco. Al folklore. Amo: a Andy Warhol y Teshigahara. A las mujeres bellas. Soy feliz: con mi inteligencia, con mi sensibilidad. Cuando salen notas sobre mi obra o mis fotografías en los diarios. Visto: como me da la gana. Vivo: sin prejuicios de ninguna especie. Me caen gordos: los enemigos del Clan. No soporto: a ese chantajista sentimental que es Chaplin. Recuerdo: el éxito que tuvo mi primer libro. El éxito que tuvo mi segundo libro. El éxito que tuvo mi último libro. Deseo: que en el mundo todos sean cultos e inteligentes. Que me traduzcan a cientos de idiomas. Suelo reír: con la risa hermosa de Riveroll. Con la risa sonora y fresca de Tello. Unos: qué sinceridad. Otros: la frescura de las respuestas es comparable al ingenio desplegado.

Magdalena se negó a ir a esa espantosa escuela de monjas.

—Viejas lesbianas. Yo no me interno con ellas aunque estén en Europa —dijo furiosa a sus padres, quienes accedieron haciendo a un lado su escandaloso puritanismo.

—Entrará en la Universidad. Lo que el padre del Águila no pudo hacer, menos lo haremos nosotros —la señora mamá de Magdalena aclaró muy doctoral a su esposo.

—Dios mío, la una y la Nena no llega.

—No te preocupes, tu marido debe haber pasado por ella. Imagino que se detuvieron en alguna parte a cenar —el hombre hablaba mientras movía las páginas de un espeso libro de arte.

La señora transportó enérgicamente su obeso cuerpo y tomó el teléfono para preguntar con voz chillona por su marido. No estaba. Irían a buscarlo. Espera,

el sofá seguía ocupado, pero ahora el hombre dormitaba y el libro en el sólo con las hojas maltratadas,

la mujer detuvo su mirada en él: —Desde chico es un imbécil.

Por fin obtuvo una respuesta. Su esposo estaba en junta con los directivos de la empresa. Le garantizaron —ante sus lamentables ruegos— que al salir, en quince o veinte minutos, le darían sin falta el recado.

Alentado por algo semejante a la familiaridad se arrimó más todavía a Magdalena.

A varios metros, la estatua del sonriente Miguel Alemán abrazando una biblia o una constitución o un catecismo, no tardaría muchas semanas en ser dinamitada por segunda vez:

quedarían la toga hecha pedazos y la cabeza en el suelo con todo y sonrisa. Magdalena soltó su libro y a pedido de él cambió la estación de radio.

Cuando Salinas salió, se le acercó su secretaria. Le entregó el recado. Al mirar el reloj se dio cuenta de lo tarde que era. De la gran sala de juntas salían otros ejecutivos gordos y feos: todos de oscuro y con portafolios abultados, llenos de papeles importantísimos que regían el buen funcionamiento de la empresa cervecera que ayudaba al desarrollo y progreso del país. El señor Salinas habló con su esposa, quien lo hacía culpable del descuido tan lamentable y poco digno de un padre ejemplar. Y como ni las primas ni las amigas de Magdalena sabían el paradero de su hija, el CPT, haciéndose acompañar por dos policías privados, y pensando en la posibilidad de que a la Nena le hubiera sucedido un accidente o algo peor, fue a la CU en su Mercedes negro. Las calles citadinas eran testigos de la velocidad irrespetuosa, insolente.

Magdalena y su acompañante dejaban el sillón y contemplaban el edificio de la biblioteca. Sus símbolos babosos. Él hablaba quedo, ella lo escuchaba con cierta atención, sin verlo. Y aunque la charla era demasiado trivial, a veces burda, ambos la encontraban agradable. Del radio salían las notas de un anacrónico blues. El joven la tomó de la mano. Dejaron de conversar. Se miraron: él un tanto turbado pero intentando ser audaz; ella sin demostrar emociones acaso un poco pálida. La besó. Intentaron reanudar la charla. Los dos comprendieron que carecía de objeto. Volvió a besarla, sólo que ya sin asomo de timidez. Sus manos sin sutilezas buscaron bajo la ropa de Magdalena. Directamente. Apretándole los senos. Recorriendo la cintura. Las caderas. Los muslos. Los senos otra vez. Magdalena cerraba los párpados. Estaba sumamente excitada, pegaba sus piernas a las de él. Se dejó conducir al sillón. Fue abrazada con ansiedad. La falda le fue levantada. Cayeron del sillón. Rodaron. Sin soltarla se desabrochó los pantalones. Cuando comenzó a mover el cuerpo sobre ella, ambos apenas lograban respirar.

Al ruido de un motor (proveniente del estacionamiento de la Facultad) que inundaba de toscos sonidos mecánicos parte de la Universidad, quieta y silenciosa a esas horas, Magdalena recogió sus libros. Él, asombrado, volteó a diversos sitios, de izquierda a derecha, de derecha a izquierda, de un lado al otro, sin encontrar el origen del ruido.

—Es un Mercedes. Debe ser mi papá.

—¡!

—Sí —y una breve explicación.

Confundido, esperó algo, pero Magdalena ya no decía nada, se arreglaba el pelo y la falda alternativamente, sacudiéndose el polvo. En busca de una solución rápida (ruido de portezuelas muy cerca), el mozo dijo que aún tenía mucho quehacer en el edificio. Se esfumó por el pasillo.

Magdalena caminó en dirección a la salida, en donde el CPT Salinas buscaba desesperado a su hija única.

De regreso a su casa, somnolienta, con la cara pegada a la ventanilla, sin oír los reproches y las advertencias paternales, Magdalena trataba de entender la causa del rechazo a su maestro y de imaginar el nombre del afortunado mozo.

ROLANDO BESPIS también tuvo la beca Lezano. (Cótex la obtendría dos años más tarde.) Bespis había enviado material para concursar en tres ocasiones y nada, estaba furioso. Berriozábal no necesitó más de una vez para ganarla. Al cuarto año de insistencia, recibió un telegrama lacónico:

ROLANDO BESPIS.
PRESÉNTESE JUEVES INSTITUCIÓN LEZANO.
ASUNTO RELACIONADO BECA.
ORLANDO NÁJERA.

Saltando de gusto Bespis telefoneó a sus amigos para darles la noticia. Sí, esperé tres pinches años para que me dieran la beca, como si me hicieran un favor. No debí haber insistido tanto. Pero. No se desanime, le dijo alguna vez el director de la Institución, su puntuación fue buena, sólo que había mejores candidatos. Mejores candidatos ni qué la chingada, puros recomendados, como de costumbre, hasta parece oficina de gobierno. Insista, quizá cuando sus cualidades literarias se hayan afinado. Estaba a punto de renunciar al concurso, efectivamente, pero volvió a enviar sus poemas. Incluso tenía pensado escribir un cuento para vengarse de la Institución y, además, decir en los periódicos cuando fuera famoso: Me negaron la beca Lezano. Y aquí pongo mis libros, considerados por la crítica seria como algunos de los mejores escritos en México. Ahora desechaba las dos ideas. Lástima, el tema del cuento no le chocaba [un tipo genial que concursa por la beca Lezano una y otra vez y otra vez y siempre pierde; pero el cuate crece, aumenta su capacidad literaria, lee mucho, escribe más, gana todos los premios nacionales; sus libros empiezan a ser traducidos, gana los premios limpiamente, sin las movidas usuales, pero le siguen negando la beca Lezano; ya maduro, obtiene el Formentor, antes recibe el Biblioteca Breve, en Cuba le conceden el premio de la Casa de las Américas; regresa a México y con un libro nuevo, digo, con un proyecto nuevo, vuelve a perder la beca; sigue escribiendo, su prosa se convierte en la más jodona del idioma, con gran pompa obtiene el Premio Internacional de Literatura; ya viejo recibe el Nobel y el Lenin reconocimiento unánime de un mundo dividido); desesperado por la ausencia Lezano, prepara un libro extraordinario, una obra maestra y vuelve a solicitar la beca: plan de trabajo y carta de exposición de motivos, tanto uno como otra escritos en forma detallada: teme la negativa; pese a su edad avanzada ahora sí se la otorgan —el Comité de Becas ha notado la ausencia de un premio Nobel en sus ficheros—; antes de recibir el telegrama usual, el anciano escritor, gloria de las letras nacionales, fallece de un inesperado y eficaz paro cardiaco; al enterarse del hecho, los directivos de la Institución, modifican su criterio y el texto del telegrama:

SRA. ELENA CARMONA VDA. DEL OCCISO.

NUESTRO MÁS SENTIDO PÉSAME. ESTAMOS CON USTED EN MOMENTOS DOLOROSOS. NO CONCEDEMOS BECAS PÓSTUMAS, AUNQUE HEREDEROS TAMBIÉN SEAN ESCRITORES.

ORLANDO NÁJERA

¿En dónde había leído un tema semejante?]

EN LA PRIMERA sesión de becarios, Rolando estuvo bastante cauto y apenas aventuró juicios. Sus compañeros lo imitaron; aquello fue una aceptable reunión: saludos al entrar, despedidas al salir y lecturas breves sin comentarios. Alentado por ello, Rolando asistió a la segunda. El director explicó los métodos de trabajo a seguir el año que durase la beca y cómo se cobrarían las mensualidades (aspecto que a todas luces interesó más a los becarios).

Rolando andaba entusiasmado, pero se cuidaba de mostrarlo ante el público: frialdad londinense. Me dan lo que merezco, nada más . Sus compañeros de beca le caían mal. Ninguno tiene talento. No sé cómo les dieron becas. Escriben con las patas. Cada uno de los becarios pensaba exactamente lo mismo que Rolando de sus restantes compañeritos.

La presencia de celebridades, sus orientadores en la Institución, lo emocionaban poca cosa, pese a que antes de Berriozábal fueron de lo mejorcito, renovaron el cuento y la novela que permanecían anquilosados, aletargados. Además gustaban de ayudar a los escritores que se iniciaban, hasta uno de ellos, Arica, creaba revistas y ediciones muy bonitas con nombres sugestivos (un poco a la manera de Arreola). En el fondo, Rolando Bespis respetaba a sus cuatro maestros temporales, quienes, por lo demás, habían ayudado a Berriozábal a publicar *Primeras cantigas,* y él, en justa reciprocidad, los citaba en cuantas ocasiones se presentaban, diciendo en forma categórica que eran buenos escritores, con obras consistentes. Yo me acuerdo bien. Todo el Clan medio se molestó la primera vez y ya en alcoholes le reprocharon su debilidad. Entre mis virtudes está la de ser agradecido y respetar a quien lo merece, les dijo. Siguieron discutiendo. Ni me metí: todavía no afianzaba la amistad con ellos. Y a la sorda les di la razón a todos. Por último, Ruperto mandó a los más intransigentes a la chingada y los amenazó con retirarles su apoyo; nadie chistó, más licor y a hablar mal de Semprún y del premio ganado con su novela. Alguien todavía alcanzó a insistirle: Oye, Ruperto, es normal que agradezcas a Faulkner, a Reyes, a Novo, a Paz, a Balzac, a James básicamente; a D. H. Lawrence misteriosamente; a Dos Passos tipográficamente; pero ¿a estos cuates bucólicos y provincianos para siempre, rulfianos de a peso? La mirada de Ruperto lo acalló.

Sin embargo, aquellos cuatro, Ochoa, Arica, Grill, Golden, no eran ningunos dejados: fregaban al que podían, atacaban a los que se ponían enfrente y a la creciente popularidad de algunos jóvenes anteponían sus reediciones y traducciones. No se puede. ¿Acaso los chingo mil doscientos ejemplares de Santa le dan categoría de gran novela? No es posible, qué: ¿las ediciones múltiples de la mexicana picardía hacen de ella literatura?

En fin.

Es una verdadera lástima que este jovencito Bespis, que sin duda posee talento, tenga como actividad principal la de negar los méritos de los mayores. Ante las palabras del viejo crítico, maestro de la Institución, Rolando se encogía de hombros: Hay que acabar con el pasado. Negamos lo que no hayamos hecho nosotros.

Total que la Institución Lezano a partir de la tercera o cuarta reunión, cuando adquirieron confianza los becarios, se convirtió en un ring intelectual, con los mismos objetos y beneficios que posee uno boxístico. Un becario leía y en el acto sus compañeros destrozaban sus cuartillas con objeciones ingenuas y despiadadas que nomás reflejaban la pobreza de la crítica nacional. En ocasiones el éxito de la sesión dependía del buen o mal humor de los maestros. Entonces era peor. Bespis gustaba de contar todas las anécdotas que sucedían en la Institución (siendo además de exquisito gusto estar al día en los chismes o, mejor, crearlos: el chismorreo era una ciencia o un *modus vivendi*). Sí. Fue al terminar de leer. El maestrazo Ochoa le rompió las cuartillas después de arrebatárselas, diciéndole: Estas son chingaderas, compañero. Roberto se puso colorado, bien colorado, no se movió ni para recoger los pedazos de papel que descansaban en el suelo. Murmuró: Al fin que tengo copias. Otra vez le tocó a Rubén, el que tiene la beca de cuento. Mire, de los cuentos que usted hace yo escribo doce diarios, dijo Atica. Sí, pero de dudosa calidad artística, maestro, contestó Rubén que no era nadita tarugo.

[EL MAYOR problema para los otros becarios y para mí es tener que soportar a unos cabrones extraños, los tipos que no recibieron la beca pero que *suponen* merecerla —en realidad la Institución no quiere dificultades; desde el escándalo que hizo Julieta O'Jaldra cuando le negaron la beca por

tarada—; a éstos los invitan a opinar —¿opinar?— y a leer
cada semestre sus pinchurrientas obrejas. Bola de pendejos, arrastrados, van para estar cerca de los medios grandes,
porque Berriozábal ni nadie del Clan visitan estos rumbos; esperan obtener la beca al otro año; aunque sea de pan-
zazo. Son dos viejas bastante ancianas y locas y cinco tipos
poetas o prosistaspoéticos o poetasbrosas o algo. Toditi-
tos juntos son las personas frustradas que año con año con-
cursan por la jugosa beca como si fuera lotería: a ver si ahora
tengo suerte. Lo que necesitan es talento. Y qué tal hablan
los desgraciados; no paran de dar opiniones y de citar pin-
chemil autores para hacerse presentes, en especial una de
las viejas milenarias que se la pasa haciendo comentarios
imbéciles, al fin que no le cuesta nada de trabajo. Cuando
me toca leer, la bruja ésta me pone nervioso: sus grandes
ojos de lechuza en celo me taladran el coco. Cuando alguien
concluye su lectura se opina y se elogia el texto. Y me per-
donan, pero esto no es literatura; en ningún momento sentí
las vibraciones que siempre me producen unas páginas bien
escritas. Lo molesto es que a todos les dice lo mismo, lo
mismo. Igual cada vez. En cambio, si se ataca digamos un
poema, ella lo defiende y jura —moviéndose en su silla como epiléptica— que está padeciendo las vibraciones que
siempre le causa la buena literatura. Destila veneno por no
ser becaria. Bueno, sí lo es, la Institución la llama becaria
honoraria (sic, en serio). Es la primera en llegar y la última
en salir (sólo en los días que pagan la beca y corremos desesperadamente por el oro, ella, discreta, se larga antes). Chin-

gao: lo que hace la gente por unos pesos o porque su nombre aparezca en letras de imprenta. La bruja siempre se adorna: Ochoa, Arica, Golden y Grill —los mejores escritores de México— son mis grandes amigos, los tuteo, me tutean y me deben varios favores; sin duda el año entrante me los pagarán votando por mí para la beca. Hasta ahora no han podido hacer nada. Los ayudo a corregir el estilo. El caso es que ni la pelan ni la pelaban ni la pelarán. No vale un centavo. Pero así es la pobrecita, la hija de un novelista de la revolufia, de ésos que ayudaron a joder a la lit autóctona, y lo peor es que fue de los más maletones. Y ya sin jaladas, los magísters de la Institución la pasan debido a que tiene coche y una gran docilidad para transportarlos de un lugar a otro: los trae a la Institución Lezano y al finalizar la junta la seudoescritora los regresa a sus casitas. Ella maneja y en sus orejitas puntiagudas entra música celestial. Mira, manís, en ese carro horrible y enano van Ochoa, Arica, Grill y Golden. Me cae gorda, la odio, pero más la detesto por payasa, por querer hacerse notar enfermizamente, ya que escribiendo no da una. Todavía me acuerdo del mitin literario de Berriozábal en la Casa del Lago: se largó taconeando y gritando, ¡Prefiero a Baudelaire! Como casi nadie de nosotros lee a los de siglos pasados ni volteamos a verla; Rosicler sí, para echarle una trompetilla.]

EN LA antesala del candidato a senador por el PRI: general Aureliano Cótex.

—Ya llegó el candidato desde hace cuatro horas.

—Yo lo tuteo…, claro, debe usted saber que estuvimos en la misma escuela aunque en diferentes épocas

—Tengo un buen amigo que es conocido de uno de los secretarios particulares del general Cótex; por cierto que son hombres cultísimos e inteligentísimos.

—Vengo recomendado por el general Brigadier Pérez, compañero de armas de nuestro candidato.

—efectivamente, lo conozco; *bueno,* nomás de vista y por los periódicos

—se equivocan, compañeros, ya me discipliné al Partido y, por otra parte, nunca tuve que ver con los excesos agraristas de Cárdenas; uno es político y tiene que aceptar, como el diplomático, ciertas cuestiones ajenas a su idiosincrasia de mexicano auténtico, vertical, puro; pero de ahí a que yo haya sido delirante

—en la Revolución fui villista, el propio Pancho me dio las insignias de coronel; luego me las quitó Carranza; para no hacerla cansada, mi general Obregón, el invicto Obregón me las restituyó y hasta me dio mando de tropas luego de Tlaxcalaltongo

—quisiera felicitarlo desinteresadamente y a darle un abrazo de revolucionario, de hermano, y ya que estoy aquí, a tratarle unos problemitas de concesiones

—Efectivamente, Cótex es candidato a senador por el Partido pero antes fue plomero y no tiene más estudios que los elementales.

—¿Plomero? Me dijeron que durante la bola alcanzó el grado de general, luchando con valor al lado de las fuerzas constitucionalistas. Me lo dijo su compadre, el coronel Montoya.

—Mentira. La verdad es distinta. Cuando comenzó puso un taller y sobre la puerta un letrero: *Plomero en general*. Luego, al darle por la política y meterse al Partido en tiempos de Calles, se quitó lo de plomero, para nada más dejarse lo de general. Rápidamente tuvo éxito y jamás se han atrevido a recordarle el origen de su grado, ni en la Defensa.

—Tiene tantas condecoraciones como el propio Porfirio Díaz; también ganadas en mil batallas.

[OTRA SESIÓN echada a perder. Qué mala suerte. Ochoa —que andaba furioso por no sé qué gorda que se le casó— le dijo a Bespis cuando terminó su lectura: A su poema le falta un poco de luz para quedar perfecto, póngale un cerillo. Bespis lo vio, pensó en qué haría Rosicler en igual trance, y efectivamente sacó el encendedor quemando su poema. Y era uno de los más elogiados por los cuates. En cambio, Arica y Grill se pusieron generosos con el más güey, el amiguito de la bruja-loca-epiléptica. Como la grabadora estaba encendida, qué joda ¡Oh madre Cultura, oh faro de luz!/ Estás hecha de encajes y bordados intelectuales,/ Tú eres la máter sacrantísima de la humanidad, nuestro tesoro más caro; creadora de bienes inapreciables, Tú sostienes al Hombre todo./ Yo soy el joven que escondido en una catedral gótica espera tu llegada gloriosa./ ¡Tímido aguárdote! Maravilloso, maravilloso, Luisito, ahora sí usted ha combinado su talento con una inspiración fría, calculadora. El sonido es muy bello. Formalmente es perfecto ejemplo de verso libre. Es una tragedia que sea tan breve. El tema es apasionante: encierra la cosmovisión del ser humano en sus formas espirituales. Recuerda los mejores momentos de Rilke, de Apollinaire, de Ah, lo dudan ojetes, ¿vuelvo a ponerla?]

—¿Cómo escribiste, digamos, *Imagínalo de oscuro,* en cuánto tiempo, bajo qué sistemas?

—Pues de un tirón. De sobra son conocidos mis métodos de trabajo. Me siento a escribir, me levanto sólo lo necesario, y dos o tres días después mis editores reciben el original aquí, en Francia, en los Estados Unidos, en Italia. Y es que me valgo de todos los recursos modernos y de un considerable equipo: grabadoras, teléfonos, teletipos y varias anacrónicas y eficaces mecanógrafas. Un ejemplo para ilustrar. Nadie ignora mi profundo desdén por el muralismo (amo al caballete). Sin embargo, no podemos negar que para pintar uno se requieren varios ayudantes y diversos y renovados procedimientos que en nada se limitan al pincel y a la espátula. Así sucede en mis novelas o en mis cuentos (nunca escribo un cuento, normalmente escribo el volumen completo: diez o quince relatos breves). Bueno, se trata de obras monumentales que pueden equipararse a las superproducciones o a los supermurales. Respecto al tema, de súbito me viene la idea y es imperiosa la necesidad de desarrollarla. Entonces dicto, escribo, corrijo, uso las grabadoras, echo mano a mis miles de libros para mínimas y necesarias consultas, telefoneo a mis amigos en busca de opiniones (ya sabes: cuento a mis amistades con los dedos de las manos), sigo dictando, escribiendo, corrigiendo, quito, pongo, concluyo. Pero surge un problema: otras ideas para novelas o cuentos o algún ensayo me llegan como si alguien desde muy lejos me aconsejara. Todo se duplica. Al finalizar estoy exhausto, muerto. Y, maldita sea, de nuevo la necesidad suplicante de escribir. De ahí que asista o celebre fiestas con tanta frecuencia: quiero hacer a un lado la literatura, pero la literatura está conmigo, permanece, soy yo. Tengo que beber, agarrar la onda, viajar, digo, es la justificación de mis constantes viajes —aparte de otras, de sobra conocidas—; con mis viajes al extranjero quiero dejar en París o en Milán o en Nueva York o en Tobruk esta cosa literaria que llevo a cuestas. Es inútil.

—Ruperto, en algunos sectores te han acusado de ser esnob. ¿En realidad crees serlo?

—Claro que sí, Nora, pero no a la manera tradicional, ya que ahora el último alarido del esnobismo consiste en no serlo. Soy claro, supongo. Por lo demás esto se manifiesta hasta en los espíritus más humildes. Es una actitud inherente al hombre, como el filosofar: Cualquiera filosofa, pero lo que importa es cómo se filosofa y quién filosofa. Ser esnob significa tener una posición frente al mundo. En algu-

nos casos puede ser protesta, en otros conformidad. El esnobismo, como el filosofar, tiene grados y categorías; aunque
el verdadero esnob es un tipo culto que sin falsas modestias
hace ostentación de sus conocimientos en forma poco usual.
Y no confundamos lo anterior con la simple y vulgar vanidad. El esnobismo es algo más. El esnobismo alcanza al-
turas elevadas en los países desarrollados, en cambio aquí,
el esnobismo se traduce en imitación y al imitar se intenta
ser esnob o viceversa. Veamos: en más o menos diez años
tenemos bastantes ejemplos. Cuando los jóvenes copiaron
a Marlon Brando (*El salvaje:* pantalón vaquero botas chamarra de cuero motocicleta) cuando hicieron lo mismo con
James Dean algunos años después (*Rebelde sin causa:* mismo
pantalón camiseta blanca chamarra de nylon rojo), ahora
que imitan a los Beatles, a los Rolling Stones (o antes a Elvis
Presley con las patillas y ciertas modas de vestir), sea en la
ropa, sea en la forma de usar el pelo. ¿Qué oficinista no se
siente dentro de la piel del 007? O ¿qué secretaria rehuiría la
forma de vestir de Jacqueline Kennedy? Estos tipos elementales de imitación, que no obligan a mayor talento o esfuerzo
mental, en las áreas subdesarrolladas son inconscientes y
primitivas formas de esnobismo.

—¿Cuáles son tus planes, Ruperto? He sabido que te nie-
gas a publicar tus últimas cinco novelas, las de los pasados tres meses. ¿A qué se debe? Me imagino que la causa
es tu fastidioso sadismo, tu afán de torturarnos al no editar
seguido.

—Que te diré, Nora. No dejas de tener razón. Mis espías literarios me han dicho que la gente entra en las librerías preguntando: ¿Ya salió el nuevo libro de Berriozábal? Y sé que las negativas los inquietan, como si se tratara de descontentos sin empleo y con hambre. Pero la causa fundamental de mi silencio no es otra que la preparación de una novela extraordinaria. Para ser franco, no creo en lo que llevo escrito —en oposición a la crítica y al público de varios países—, todo se limita a ensayos —sin pecar de modesto, reconozco la trascendencia que han tenido mis libros—, son ejercicios que dejan vislumbrar mi obra maestra, suprema, definitiva, perfecta.

—Collingwood dice que no hay obra de arte perfecta, Ruperto.

—Pero qué sabe Collingwood de mis posibilidades.

—Tienes razón, no he citado a nadie.

—Esta obra de la que hablo, no la escribiré mañana ni pasado, quizá dentro de unos diez años pueda emprender tal genialidad. Será una novela en ocho o nueve volúmenes, muy gruesos por cierto (el defecto de los escritores latinoamericanos es apenas rebasar las trescientas cuartillas). En ella, supongo, quedarán resueltos los ancestrales problemas que acompañan a la pareja desde su salida del Paraíso. Tentativamente se me ocurre llamarla *En busca del paraíso perdido,* parafraseando a quienes ya sabes. A no dudarlo va a ser una obra maestra, insisto, no sólo por su temática sino por los problemas formales que planteará; incluso una maravilla del idioma español, a pesar de que —imagino con certeza— habrá muchos capítulos en distintos idiomas, sin descartar el esperanto, lo que responde a obvias razones de cosmopolitismo. Por otra parte, es el esfuerzo, mejor dicho, será, de un hombre que espera de sus lectores una sólida cultura, amén de ser políglotos.

—Espléndido, genial. Ya entiendo tu silencio, lo justifico y me emociona. Quisiera saber, Ruperto, ¿qué validez le otorgas actualmente a *Primeras cantigas*?

—Son textos que intentan sacudirse el peso de una tradición literaria pésima, mejor aún: es un libro que intenta darle al país una literatura importante, traducible y aceptable en otros países donde sí existe una tradición literaria valiosa. Por cuatro o cinco autores que tenemos, algunos notables, es imposible hablar de literatura mexicana, aún cuando algunos maestritos de español reúnan dos, quizá trescientos escritores e incluyan, pecando de chovinistas hasta el recalcitrante español Juan Ruiz de Alarcón. *Primeras cantigas* es importante pese a sus pequeñas fallas (mal uso de la sintaxis, ingenuidades formales), porque ahí se conjugan los elementos reales de la realidad y poco a poco se desintegran hasta llegar a la fantasía absoluta, etapa final de la realidad en *sí*. Allí se observan las preocupaciones que me han llevado a escribir desde los cuatro años; preocupaciones por la irrealidad (la otra cara del asunto) llevada a extremos caóticos, siempre impulsados por el simbolismo mágico que hago desembocar en alegorías, toda diferencia guardada entre ambos conceptos, eh Nora.

¿REX CÓTEX, niño mimado? Nunca, por favor. Desde muy niño había conocido los rigores del estudio, la disciplina que todo hombre importante lleva consigo. Sus padres (él en especial), lo condujeron por los laberintos escolares y educativos imponiéndole una férrea y militar obediencia. Lo regañaban con rigor y le escogían sus amistades. En un principio, el padre suposo que el pequeño Rex sería militar de carrera, como él. Estudiará en el Heroico Colegio Militar, luego West Point; más adelante puede ser ministro de la Defensa, presidente de la República si aprovecha sus cualidades civilistas, como yo. Nada. Al descubrir el jovencito su vocación literaria (rechazaba los juguetes bélicos y aceptaba cualquier libro), el general vio frustrada su idea original. Ni remedio, no le quiere entrar a la carrera de las armas, igual que su padre, o a la política, como su padre; al menos que estudie para abogado, que se haga orador del PRI y luego luego tendrá su curul con mis influencias. Tampoco. Rex, a pesar de todo, mostraba demasiada inteligencia para seguir los consejos paternales. (Un análisis del mercado de trabajo para la abogacía, con un mínimo de objetividad, no resiste las críticas: no importa que en México para ser político se requiera ser abogadito orador. Desde que Juárez fue presi/) Bueno, no forzaremos su vocación. Le pondremos maestros especiales, explicó el general. La señora dijo que sería tarea difícil, que cómo un escritor famoso aceptaría darle clases al muchacho que además los muy buenos eran funcionarios y no tenían tiempo para otras cosas que no fueran servir al país. A lo que el general le dijo: En eso tienes razón. Pero hay otros que no son funcionarios. Y aquí el dinero cuenta, mujer. Tú —al ayudante—, búscame las direcciones de todos estos señores —le dio una lista apergaminada— y yo hablaré con ellos para ponernos de acuerdo respecto al precio. Los intelectuales, igual que los otros y los otros, como decía el grande Obregón, no resisten cañonazos de billetes fuertes, ya verás cómo pongo un ejército de intelectuales al servicio de nuestro hijo, ya verás (sacudiéndose el uniforme lleno de medallas). También ellos tienen que vivir. Los poetas, los pintores y todos esos tienen sus estomaguitos y sus vicios. Se te pasa que el Gobierno pagó cuanto mural tenemos en los edificios públicos y que los buenos escritores con el paso de los meses se hacen ministros de Educación o algo parecido. Muy bien, Aureliano, pero ten cuidado, no vayan a ser comunistas que perviertan la mente de Rexito.

En el grupo II continúa el ingenio, el derroche de buen humor, el alcohol y el degenere. Miguel Regueiro a Magdalena: Vamos por otros tragos. Van. Se sirven. Procuran quedar alejados de la mesa de billar y también un poco apartados de los grupos I, III y IV. Magdalena está feliz. Me encantan los viejos. Cómo será Regueiro en la cama. Se les acerca Elvira. Quihubo, por qué tan apartados: traen droga, preparan un libro sobre homosexuales o qué. O qué, le responden casi a coro en un intento por ser ingeniosos. Vaya agresividad, si solamente busco a mi noviecito, no quiero hacer mal tercio: ¿lo han visto? Se me hace que quiere encamarse con la loca ésa, la amante de Rex. No está mal, pero escribe horrible. No lo suelta desde que fundó con Ruperto y Culeid la revista de literatura. Espera que le publiquen sus poemas en prosa, sí, los que le rechazaron en la *Revista de la Universidad* y en *Juego de Hojas;* además quiere que se los paguen pobrecita. Mejor debería cobrar cada vez que se acuesta con alguien, así, seguro, se haría rica en dos patadas. Bueno, desaparezco, si lo ven díganle que estoy en el jardín, platicando con Riveroll.

Regueiro sigue bebiendo. Ya le urge sentirse muy cuete para, sin sus prejuicios dignos de mejor época, sacar un cartucho de mariguana y ponerse bien cruzado ante las multitudes estudiosas.

En 1936, Regueiro estuvo a punto de ir a España, a defender la República. Su sueño dorado era pertenecer a las Brigadas Internacionales. Pero graves problemas literarios y sentimentales le impidieron salir de inmediato, como deseaba. La disyuntiva era atroz. Iría o no. Lo pensó demasiado, como tres años, y al decidirse afirmativamente, el nazifascismo había triunfado por la gracia de Dios. Comenzaba el reinado del repugnante generalísimo y del oprobio español. La República iba rumbo al exilio, a una vida fantasmal, llena de recuerdos y de temores por el futuro. Ni hablar, pensó Regueiro (como otros tantos intelectuales a los que el tiempo no les alcanzó para defender a España), ya habrá otra oportunidad de pelear contra el fascismo, al cabo que siguen fregando países. Hay que luchar contra las fuerzas de la

reacción; para qué somos revolucionarios. Luego, pensándo-
lo mejor, concluyó: La guerra puedo hacerla desde aquí.
Como ha dicho Lombardo Toledano: Mi trinchera está en
México. Para acabar con los fascistas no es necesario ir/ Eran
los gloriosos tiempos de la euforia revolucionaria mexicana.
¡Comunistas de México, apoyemos a la burguesía nacional
porque es progresista! ¡Apoyémosla al menos hasta que deje
de serlo! ¡Hagamos un frente popular en torno al presidente y a su partido! El enemigo está en el centro de Europa y
amenaza con extenderse, América Latina debe ayudar a
impedirlo. Pero a aquél lo derrotaron la URSS y sus aliados
temporales. Nosotros nos quedamos con el nuestro, aquí en
casita, vivito y moviendo su ridículo rabo. Por tal razón la
segunda mitad de los treinta es importante para México y
España: para el país europeo marca la caída de un sistema
de gobierno positivo y la implantación de una negrísima dictadura; para nuestro relativamente joven pueblo significa el
inicio, ya en forma definitiva, sin balbuceos, de un proceso
de apuntalamiento de un partido cuasiúnico de tipo burgués-
nomuydemocrático, el ascenso pa siempre del capitalismo
que a pequeños pasos, chiquitos —como se hacen las cosas en México—, terminará reconociendo esa negrísima
dictadura o al menos aceptándola por las semejanzas guar-
dadas. Ja, jay: Regueiro se ponía overol y cantaba —con los
maestros, los burócratas, los obreros, los intelectuales, los estudiantes— *La Internacional*. Los granaderos nada más ser
vían para dos cosas: desfiles y protección a los comunistas.
Se hablaba de Marx, de Lenin, de Stalin al nivel de Hidalgo,

Juárez, Carranza. Los segundos eran el pasado glorioso, los primeros el brillantísimo futuro. Las escuelas se llamaban Rosa de Luxemburgo, César Augusto Sandino; el artículo tercero constitucional retaba a la reacción con su educación socialista. Nomás vamos a la Villa, rezamos un ratito y corremos a Bellas Artes, al mitin del Partido Comunista. De acuerdo licenciado, la escuela se llamará Escuela Secundaria Nocturna Número 5, Mariscal José Stalin; por supuesto, la inaugurará el señor presidente en persona, acompañado por el embajador de los Estados Unidos.

Vivan los treintas.

Para ser artista se requería, en forma indispensable, el carnet del Partido Comunista. Los moralistas hacían un arte demagógico —¿arte demagógico?— y todo hacía suponer a los retrasados mentales que la mexicana revolufia, la de 1910, iba que volaba al socialismo.

Regueiro estaba muy centrado y no caía en el garlito del realismo socialista o de la consigna internacional. Decía: Una cosa es la política y otra bien distinta el arte; en la política hay lucha de clases, lucha de partidos; en el arte sólo existe el reino de la belleza. Ya lo dije: *toda belleza es formal.* Pensando así escribió sus tres primeros libros. En los tres había prosa espléndida, con influencia notoria de los clásicos españoles y, en especial del joven Cervantes; tengo una prosa cervantina adaptada a nuestro tiempo y a mi personalidad.

El libro de ensayos fue poco festejado, en cambio la novela se hizo algo famosa, logrando figurar entre las cincuenta y tres mejores de ese año. *Siete cuentos,* en rigor, no tuvo

ningún éxito y Regueiro decidió borrarlo de su bibliografía.
Para su fortuna, la edición de autor fue de trescientos ejemplares. Juntó dinero y así como un día llevó el libro, otro se
dedicó a agotarlo. Los ensayos, previamente publicados en *El
Nacional,* fueron unificados bajo un título sugestivo: *Ensayos absurdos.* Y las pocas críticas dedicadas al novel escritor
coincidían en señalar un punto: como su nombre lo indica,
los ensayos son efectivamente ídem. Qué tiempos. Regueiro
tenía un futuro maravilloso, en un país maravilloso, convertido en un pequeño campeón hispanohablante de las luchas revolucionarias. Las críticas adversas —la mayoría—
no le interesaron. Releía sus libros cada noche y comenta-
ba a su esposa en turno: Al juicio anónimo e implacable de
la historia, sólo se le podrán defender cosas de este calibre.
Y agitaba los libros en la cara de la mujer.

Regueiro llevaba una vida semibohemia. Con lágrimas
de ron se jactaba de ello. Trabajaba poco. La esposa era la
encargada de aportar las vituallas, el alcohol y la mariguana, sin olvidarse de la renta. Él contribuía con su persona
y su talento. Según parece, la mayor parte de sus mujeres
fueron felices hasta el instante en que las corría a patadas
porque llegaba una nueva. Regueiro pensaba, como sus amigos o conocidos, que el escritor debía vivir intensamente,
con pasión: Literatura, vicios, mujeres y marxismo, he ahí
mi síntesis. Y la mencionaba con frecuencia en las múltiples cantinas que frecuentaba. ¡Ah qué Regueiro! Igual que
sus cuatachones y parientes, escritores jóvenes y de genio,
no encontraba diferencia entre la moral burguesa y la mar-

xista. O al menos nunca pensó en ella. Sin duda, debido a esto, los intelectuales de los treintas resultaron más adelante eficaces servidores del Estado, con buenos sueldos y con mejores posibilidades políticas. Lo más sorprendente en el caso de Regueiro (y de muchos de sus cuates, bastantes) era su vida privada. El revolucionario —suponía su generación— echaba hijos a pasto y jamás pensaba en ellos, ¿para ya sabes qué? Dar golpizas a las mujeres, drogarse, fumar mariguana hasta la náusea, citar a Engels, escribir manifiestos inflamados de pasión revolucionaria y arreglar al mundo: actividades cotidianas del buen comunistamexicano. Eso quiere decir luchar por la patria. Qué pinches generaciones; con justicia rechazadas por las nuevas.

LOS PREMIOS. No, no. No es el título del libro de Cortázar. Se trata del artículo de Montalbo que nadie aceptó publicar. Ya sabes. Lo de siempre. Las violencias literarias. Montalbo lo escribió de buena fe, sin pensar en nada malo, anormal. Quería purificar el ambiente. Roberto Cafarel le dijo que nada de ataques a los consagrados, aunque fueran justas y razonables, y en la nota había más de tres alusiones. Dijo: Es una forma muy barata de hacerse publicidad a la manera de Culeid, tú tienes talento y no la necesitas, incluso te perjudica. Déjala para los anodinos. Sutilmente le explico que todos formamos la clase intelectual de México y que los miembros de una clase tienen negado atacarse entre sí: se resquebrajaría; que era necesario cerrar filas ante la avalancha de enemigos mediocres que amenazaba a la intelectualidad auténtica. Además todos somos miembros de un grupo poderoso y consistente por su cultura e inteligencia. A cambio te publicaré, ahí en la misma revista, tres cuentos. Lo abrazó. Montalbo permitió que Roberto rompiera el artículo. Pobre, ya inventarán algo para no publicarle los cuentos. Claro, yo conservo copia del artículo.

En México tenemos algunos premios literarios (más valdría que no los hubiera). Pero son notables fraudes al autor y al público: al autor lo corrompen y al público lo alejan de la realidad literaria del país. Es preciso poner al descubierto esos engaños y la falta de escrúpulos de quienes manejan los premios.

Primero veamos cuántos hay. En seguida la mecánica aparente que se sigue para otorgarlos y adelante analizaré cómo se dan en verdad.

Los premios principales son cuatro: el Alfonso Reyes, el de la Universidad Independiente de Texcoco, el Puerto Vallarta y el Nacional de Literatura.

El premio Alfonso Reyes es de quince mil pesos y se otorga, todo se sabe, a libros publicados. Fue creado por el crítico Javier Ornelas quien se encarga personalmente de escoger al jurado: Otras dos personas. De los libros editados durante el transcurso del año, los tres críticos seleccionan, al menos teóricamente, el mejor. El procedimiento es sencillo, no tiene mayores complicaciones. Ahora bien, la realidad es así, exponiéndola sin intención de repetir chismes o inventarlos como se gasta en nuestro medio. Ornelas reúne sólo las novelas de sus amigos o de personas susceptibles de ceder ante sus presiones (autores noveles que buscan un premio a como dé lugar). Escoge con sumo cuidado a uno: el elegido de los dioses. En una reunión báquica, habla con él y viene la proposición que jamás ha sido ni será rechazada. Ornelas, entonces, consigue el dinero en la presidencia y prepara un cóctel en alguna librería famosa; poco antes ha escogido a los jurados restantes (entre los mejores de la literatura nacional) y les dice qué obra será la triunfadora por sus *cualidades literarias*. Conformes. Hora del cóctel. Una borrachera fenomenal. Ornelas hace solemne entrega del premio. La sorpresa del ganador es mínima: estaba advertido que recibiría la mitad del dinero. Ornelas es tan cínico que apenas les da algo a los otros *jurados:* Aquí tienen, para que se compren las últimas novedades de Seix-Barral. Y él guarda la mayor parte del botín, que le sirve para beber en la forma modesta pero renovada que acostumbra. Patético ejemplo es el de uno de nuestros más prestigiados escritores (por respeto a su obra omito su nombre). Cuando le dieron el Reyes, Ornelas tuvo problemas económicos de cierta gravedad. Y le fue fácil solucionarlos tomando íntegros los quince mil pesos del premio. El cóctel se dio normalmente, la prensa destacó la noticia, hubo comentarios. Pero a cambio del cheque nuestra gloria literaria recibió varias letras firmadas por Ornelas para pagarle el premio en abonos. Hace tiempo este escritor declaró que acababa de cobrar la última letra, y acercándose al oído me explicó que el premio en nada lo ayudó, puesto que cada mes Ornelas le daba cuatrocientos pesos, eso sí, puntualmente, hasta completar su mitad.

Lo genial es que la editora del libro premiado festeja el suceso sacando cartulinas maravillosas, con letras de buen tamaño que anuncian: El prestigiado galardón Alfonso Reyes lo recibió el escritor… Maestro, ¡cuántos pecados se cometen en tu nombre!

Premio de la Universidad Independiente de Texcoco para libros inéditos. Según la convocatoria, entre otros requisitos, el aspirante tiene que presentar su material a un jurado preliminar, desde luego, fácil de sobornar. Si es aprobado pasa al jurado definitivo, de lo contrario queda fuera de concurso. El jurado, que desde la fundación del premio es el mismo, lee detenidamente los trabajos por segunda y última vez, y de ellos sale el premiado.

Para ganar cinco mil pesos y una publicación, el aspirante debe hacerse amigo, buen amigo de algún jurado importante: entonces sus posibilidades de ganar serán del 99%. O sea, escribir un libro como Dios dé a entender, emplear la simpatía personal y la lambisconería y obtener amigos cultos, fama y dinero. Nada más sencillo.

Para el premio Puerto Vallarta la cosa es fantástica. Son cuarenta jurados invitados por escrito con varios meses de anticipación. Normalmente aceptan el *honor* y a vuelta de correo mandan su voto. Estamos frente a un concurso por correspondencia. La cuestión no para ahí. Los candidatos procuran localizar a cada uno de los jurados y, siguiendo las tácticas impuestas por nuestra corrupta política, los coaccionan. Se

ha llegado al extremo de pedirle a otros candidatos sus votos. Se venden y se compran como si fueran mercancías.

Algo tragicómico: el ganador del premio Puerto Vallarta
asiste, en compañía del gobernador (quien organiza el concurso), a coronar a la reina del Plateado Mar de Puerto Vallarta, en un acto repugnante por su provincianismo.

Respecto al Nacional de Literatura, debo señalar que es
un premio que concede el Estado a quienes lo sirven y lo
ayudan. Es la recompensa para los intelectuales que con
mayor esmero han protegido los intereses de la oligarquía
burocrática. De hecho, es el presidente de la República el
encargado de seleccionar al literato que merece cien mil pesos donados en rasgo generoso por el gobierno.

SIEMPRE HAS pensado que desvelarse no es muy saludable.
Pero qué puedes hacer, las fiestas te fascinan; en especial
cuando son después de una maravillosa conferencia sobre
lo camp en la literatura mexicana del siglo XX; en especial
cuando el conferenciante ha sido Rosicler, uno de tus amigos más simpáticos y cultos. Sales de la casa y subes en el
automóvil… Silencio: te fastidia hablar al finalizar una reunión tan interesante y animada como la de esta noche. Pre-
fieres recordarla, no estropearla con comentarios triviales (ya
hablarás mañana de ella a placer, contándole a tus amigas
los detalles). Te divertiste como loca, bailando y bebiendo
exageradamente, no olvidarlo es satisfactorio. Curioso: no
estás borracha, apenas mareada. El hombre que va acom-

pañándote conecta el motor del coche y éste con lentitud empieza a rodar. Tú, Marta, tan discretamente como puedes, lo observas. No está mal; nada mal; aguanta;

pero no logras recordar cómo y a qué hora los presentaron. Lo único que conservas en la memoria es el momento en que Cótex se encerró con Magdalena en una recámara, sí, la misma en que estaban Rosicler y un jovencito; no supiste reaccionar hasta que él, gentil y amable —de dónde saldría, no es escritor ni pintor o artista—, ofreció llevarte a tu casa.

La madrugada tiene una apacibilidad fría, el aire forma montañas invisibles que el coche tiene que forzar. Tu acompañante, sin volverse, pregunta la dirección. Al recibir respuesta, deja de ir al azar y enfila hacia las calles de Veracruz.

Somnolienta, decides acercarte a él. Ya no piensas en nada, te limitas a observar las figuras ridículas que cada navidad el regente de la ciudad manda formar con patrióticos foquitos de colores.

¿Te llamas?

Javier.

¿Haces?

Nada.

¿El coche?

Papá con dinero.

Javier, bajando la mano derecha del volante, con suavidad, con temor, la dirige hasta tus piernas. Marta. No te inmutas. Un bostezo y muy quedo pides que encienda el radio.

Vuelta al botón: zumbido áspero y molesto. Ya no hay estaciones, explica lo innecesario. No respondes,
                    levantando el brazo a la altura de la cara:
Las cuatro, no pensé que fuera tan tarde, o tan temprano,
rectificas. Apresúrate, me muero por estar en la cama. ¿Sola?
A tu risa, Javier pisa el acelerador.

El coche se detiene frente a un edificio construido casi con
puros cristales. Primero baja él, te ayuda a descender. Al hacerlo dejas al descubierto tus piernas morenas y bonitas. Las
mira con insistencia, sin discreción. Vuelves a sonreír. Javier
cierra su coche y te pide dos favores: que te subas la falda
hasta los muslos, y que le entregues las llaves del departamento.
Mirándolo te subes la falda; Javier retrocede dos pasos para
apreciar tus piernas mejor. Al avanzar los dos pasos, espera las
llaves.

No fue la primera llave: acierta con la segunda, es la que
abre la puerta del edificio. Vivo en el segundo piso, en el tres,
es la chiquita, el elevador no sirve.

Suben tratando de hacer el menor ruido posible. Extremas las precauciones al quitarte los zapatos. Javier sujeta fuertemente tu brazo. Sientes cómo la presión aumenta. Cuando
llegan al número tres, él se adelanta para abrir; empuja la
puerta; deja el paso libre. Entras y al voltear, a despedirte,
ves que se dispone a seguirte. Tu mirada lo detiene ¿por cuánto tiempo?, caminas al interior, dejas caer el abrigo, la bolsa
y los zapatos, para luego dirigirte a la recámara. Javier penetra, cierra la puerta y sigue tu mismo camino sin que haya
necesidad de encender la luz.

ROSICLER GUSTABA de firmar las traducciones que otros hacían. Al fin y al cabo era el dueño de la editorial. Daba clases en la Facultad de Filosofía y Letras (literatura norteamericana) y publicaba bajo su responsabilidad, y bajo su firma, los mejores trabajos presentados por sus alumnos. Con frecuencia raptaba ideas de intelectuales extranjeros, para exponerlas en el DF. Sus disquisiciones filosóficas estaban contenidas en el libro *Plagio, luego existo*.

Pero ahora sí, la idea era original, aunque ayudó un poco Julieta O'Jaldra y también sirvieron las opiniones de Riveroll y de Roberto Cafarel, director de la Casa del Lago. Excelente idea, deveras. Rosicler, entusiasmado, trabajaba redondeando el proyecto, el plan que iba a causar revuelo. Los intelectuales del grupo, los notables, quedarían encantados; los rivales, los mediocres, burlados; y el público, satisfecho. Vamos a conmocionar a los distritofederaleños.

Se trataba de celebrar un homenaje a lo cursi. Rosicler llamó al equipo, dio las directrices pertinentes y todo mundo a trabajar. Julieta O'Jaldra publicó una nota en la que señalaba los objetivos del acto. Por vez primera en la historia de México se presenta un homenaje a lo cursi. Aquí la mejor idea del año, aquí una requetechula puntada de Rosicler, secundada por su maravillosa servilleta y Riveroll, el genio más genio de esta región tan de envidia llena hacia el talento. Apoyados por Roberto Cafarel, el único que escribe como Dios.

La cursilería en todas sus manifestaciones: en la pintura, en la literatura, fotografías, discos, películas, recitales de poe-

sía, discursos oficiales, visitas a iglesias, a colonias completas, a neverías, a cines, a edificios públicos...

Para montar las exposiciones aprovecharemos el material recogido en nuestras turisteadas por la ciudad. Asimismo debemos emplear, por ejemplo, la poesía de Mary Hojas
en contra de la guerra en Vietnam; obtener deleites increí-
bles que no proporciona ni el LSD oyendo a Rosicler o a
Riveroll declamar estos campísimos versos de protesta.

La entrada podría cobrarse y con el dinero recaudado propongo que hagamos un monumento a lo Cursi. Su utilidad
no está a discusión. ¿Okey?

HUBO DEMASIADA euforia. Se pensó que México entraba
en una nueva etapa de desarrollo revolucionario. Desde las
postrimerías del cardenismo —años en que nacen los grandes intelectuales— no se había visto algo igual.

1959, 60, 61, 62.

En la presidencia, uno de los mejores gobernantes que el
país ha tenido. En las cárceles, presos políticos por cente-
nares. Quien vea aquí una contradicción está errado o no
es mexicano. Por México todo, contra México nada. No hay
otro camino que no sea el nuestro, el que ha impuesto la
Revolución (más tarde, al otro sexenio, tales bases —desde
antes acuñadas y repetidas en formas diferentes pero sin va-
riar su contenido redentor— permitirían esculpir en placa de
oro, como dijera el vate, una frase que encerraría toda una
tesis capaz de guiar al pueblo: En México existen todas las

libertades, menos la libertad de acabar con todas las libertades. ¿Galimatías, axioma? Sólo el pensamiento de la Revolución Mexicana encerrada en una frase oratoria maravillosa por su grandilocuencia y eficacia).

Los ferrocarrileros encarcelados continuaban luchando, los maestros apaleados y gaseados insistían en reivindicaciones, los campesinos hambreados suplicaban un reparto de tierras auténtico (la suma de las tierras laborales repartidas desde que se inició la Reforma Agraria Integral, duplica el total de las existentes en la República, alcanzó a decir antes que lo aprehendieran el pobre maestrito rural), los estudiantes con planes de estudio caducos se lanzaban a las calles a protestar y a apoyar a los ferrocarrileros, maestros y campesinos, los intelectuales aburridos apoyaban, aunque sólo con su firma, todas las demandas nacionales y a la Revolución Cubana.

Espléndido cuadro. Si no hubieran matado a Trotsky, a no dudarlo escribiría: La Revolución Permanente ha comenzado y ha comenzado en México. Bueno. De estudiar los famosos treintas, su texto hubiera sido igual y nada más la fecha sería diferente.

El gobierno, pese a que sostenía relaciones diplomáticas con Cuba, las iniciaba en el terreno comercial con algunos países comunistas, luchaba por la paz, la no intervención, la autodeterminación de los pueblos y se suponía que llevaba a cabo las promesas de la Revolución, era urgido por las masas populares (metáfora indispensable aquí) para que actuara en forma más y más radical. Tumultuosas manifestaciones de estudiantes, profesionales, intelectuales y hasta obreros. Mítines cargados con furor antimperialista. Propaganda con consignas audaces circulaban en volantes, cartulinas y publicaciones diversas. Huelga de hambre para que dejaran en libertad a los presos políticos.

Pero el gobierno se aburrió.

Se cansó de jugar a la revolucioncita, mostró el cobre y vino la represión: policías montados, agentes secretos, granaderos y bomberos golpearon a los ferrocarrileros, a los maestros, a los estudiantes y a los intelectuales. Y todo acabó como empezó: rapidito rapidito.

Los obreros se conformaron con sus salarios ridículos, con sus líderes encarcelados,

los campesinos vieron aterrorizados cómo el glorioso y varias veces Ache Ejército Mexicano (piensa oh patria querida que el cielo un soldado en cada hijo te dio), el que desfila cada 16 de septiembre, asesinaba a Rubén Jaramillo, a su embarazada esposa Epifanía y a sus hijos, bajo la complacencia de SU-JEFENATO,

los estudiantes regresaron a las escuelas (para eso somos estudiantes, para estudiar, no para armar borlotes ni alterar el orden), conformes con sus experiencias: ya tenían algo que contar,

los intelectuales volvieron a sus tareas cotidianas: escribir, leer, dar conferencias, organizar fiestas (no sé para qué nos metimos en esto; romanticismos absurdos),

ah, entonces, la juventud decepcionada del mundo circundante, de la realidad aborrecible, se refugió en los cineclubs y en la literatura.

Es cierto, no es una frase manida, gastada, sino una verdad nacional: tras la tormenta viene la calma. Pero qué subdesarrollo tan aplastante, pocas veces se había visto una tormenta así de chistosa y ridícula, mínima y breve. Lo grande será la calma, la calma burguesa que estamos presenciando, la que hemos ganado con tanto esfuerzo y estupidez.

[En efecto, camarada, hemos tenido que regresar a la clandestinidad, la represión está muy fuerte. A propósito, a qué fracción pertenece usted: es de la JC o de la Liga Marxista Leninista Espartaco o de la Juventud del Partido Popular Socialista o del Partido Obrero Campesino o del Partido Revolucionario del Proletariado Militante o de la Asociación Comunista, perdón, se fusionó ayer con el PPS, o de la Agrupación de Comunistas Sinceros, la que desde hace una semana se dividió en tres, o del Grupo de Socialistas Puros, que tiene cinco días de fundado por los expulsados de la JC, o del Frente Electorero Popular, también fragmentado: o milita con los Revolucionarios Radicales Mexicanos o está de parte de los Intelectuales Extremistas del Proletariado o de los Jóvenes Comunistademócratas o ha ingresado en el Partido de Transformación Socialista, creado por los disidentes del Partido Único de Obreros Progresistas de Izquierda o desea ingresar en el Grupo del Pueblo Radicalizado, constituido por los elementos, enemigos de las posiciones que han tomado la Juventud del PPS, el Partido Obrero Estudiantil y el Grupo de Socialistas Puros; sigue usted la línea china, apoya al PCUS, simpatiza con los cubanos, le agrada la postura yugoslava, está contra los albaneses, le caen bien los revisionistas y los aislacionistas o prefiere a los estalinistas, a los extremistas y a las radicalistas; quiénes tienen, a su juicio, la razón: los trotskystas o los leninistas; dígame: ha leído a Marx y a Politzer o a Lenin y a Nikitin, si le dijeran que escogiera entre Kosyguin y Mao Tse-tung, qué haría, supone usted que las guerrillas son la solución para América Latina, optaría por la lucha parlamentaria, cuál es su opinión sobre la coexistencia pacífica, cuáles son, según su criterio, las mejores formas de combatir al imperialismo; contésteme, rápido.]

PARA RIVEROLL no pasaron inadvertidas aquellas gloriosas jornadas revolucionarias. Muy discretamente participaba en una fracción de la JC. Repartía volantes y organizaba charlas de adiestramiento político juvenil. Durante las manifestaciones de protesta por la represión a los ferrocarrileros y a los maestros y luego durante las manifestaciones de solidaridad y apoyo a la Revolución Cubana, Riveroll mostró de mil formas su posición intransigente frente a la burguesía nacional y frente al imperialismo norteamericano. Entonces tenía veinte años. Por su parte, algunos de sus amigos, escritores de su edad, también exigían posturas progresistas al gobierno.

(En Riveroll se vislumbraban los elementos que determinarían el curso de su vida: el ingenio y el humorismo;

sin embargo, su actuación en la fragmentada JC era de seriedad absoluta. Para él como para muchos jóvenes, el ejemplo de José Revueltas era aleccionador: cárcel, miserias, traiciones, y Revueltas seguía su línea marxista. Lo admiraba. Por otra parte, soñaba con tener en su currículum: preso político dos años. ¿No sería a todo dar?, preguntaba a sus compañeros de Filosofía y Letras. Sólo que la idea original fue abandonada con rapidez por el joven Riveroll, cuando halló la pista del camino que conduce al camp y a la trivia. Además, en la antisolemnidad encontró una posición adecuada a su temperamento. Su vocación se daría en esos elementos.)

ELVIRA RÍE: Riveroll comienza a contarle otro chisme de alcoba. Desde antes de llegar a la lectura de Ruperto, Riveroll tuvo ciertos temores de que se fueran a burlar de él por su nueva chamba: redactar los discursos del secretario de Gobernación. Como nadie hizo comentarios al respecto, ya agarró su confianza habitual y va de un lugar a otro haciendo bromas.

ROSICLER, ANTES de radicar en México, ya había escrito un par de libros: un largo ensayo de búsqueda tentativa, como señalaban sus amigos, y una obrita de teatro (que no pudo montar a pesar de sus influencias en el medio artístico). Nada tarugo, desde un principio se hizo amigo de Ruperto Berriozábal, de Culeid y de Cótex; aunque frecuentaba más a éstos, no olvidaba a quienes lo estimaban y lo admiraban hasta el fastidio: Julieta O'Jaldra y Riveroll, a los que con frecuencia mencionaba en su columna.

Si las publicaciones se abrieron para Rosicler sin mayores dificultades se debió a su condición de extranjero: México siente una curiosa fascinación, contraria a la xenofobia que le achacan, ante una persona de otra nacionalidad: el no conocer sus posibilidades o su formación cultural hace suponer que se trata de un genio que ha venido a producir su gran obra y a aportar sus conocimientos al mexicano. ¿Cómo decirlo más claro? Es el obrero especializado que llega de otro país a trabajar aquí y que respetuoso de nuestra legislación se dedica a enseñar a los futuros técnicos nacionales, a dejar parte de su preparación.

Rosicler vino, vio y venció. En el aeropuerto se dijo: Voy a escribir la columna más leída de México. Con pose de intelectual (mirada perdida, pluma atómica en la boca, rostro soñador), añadió: Será bilingüe y le pondré *Banquete Literario*.

En efecto. La columna cultural, comentarios de libros, chismes, humoradas, quema de gente, elogio a los amigos, en cosa de mes y medio se hizo la más discutida y popular. Para afianzar su posición creó una editorial (pórtate bien y te publico). Otras empresas semejantes, a su vez, lo invitaron a publicar ofreciéndole ganancias superiores a las que podría obtener si él mismo fuera su editor. El ofrecimiento fue hecho durante un desayuno. Rosicler agradeció y prometió una novela sobre el Clan. La llave de todas las publicaciones literarias de valor llegó sola, sin que Rosicler hubiera movido un dedo para conseguirla.

Cuanto escritor había en México anhelaba ver su nombre en el *Banquete Literario*. Éxito total. El Clan lo admitió como miembro y hasta lo condecoraron —en una fiesta en casa de Culeid— con el Libro Rosa, máxima distinción que otorga el Clan en sus famosas borracheras.

La Universidad lo invitó primero como conferenciante, en seguida, a las dos semanas (aún no daba ninguna conferencia), lo hizo maestro de medio tiempo: su conocimiento de la vecina literatura del norte era algo así como portentoso. Me apasiona la estadounidense. La literatura de habla hispana me importa un carajo.

Rosicler estaba más que contento. En ningún país, y había radicado en varios, lo trataron tan pero tan bien. Las fiestas en su honor se sucedían. La columna de la O'Jaldra le dedicaba un elogio cada tercer día. Y nadie le tuvo envidias. La propia Julieta, cuya columna fue desplazada a segundo término, dijo, perdí en buena lid, ante un archiestupendo humorista. Con frecuencia lo entrevistaban para preguntarle sus opiniones estéticas. Tenía una serie de muchachitos dispuestos a ir a la cama con él (y ya adentro: Oye, consígueme una chambita. O: Me publicas el fragmento de mi novela. O: Preséntame a Cótex, ¿no?). El colmo de su aceptación se dio a raíz de que un distinguido y retardatario periódico lo convirtió en comentarista de asuntos políticos. Conocedor del artículo 33 constitucional, prefirió comentar sólo problemas internacionales dándole siempre la razón al Departamento de Estado, al FBI y a la CIA.

Sus extravagancias y su sentido del humor lo hicieron una figura popular, imprescindible en el mundillo intelectual. En una exposición colectiva de pintura (Los más nuevos), por ejemplo, llegó vestido de campesino, con sombrero, huaraches y todo, y se dedicó a pitorrear a los pintores figurativos. (Pinches mexicanos de brocha gorda influidos por los Tres Maletones) y a elogiar sin restricciones a Culeid. Los pobres figurativos lloraban de coraje por las burlas sangrientas de Rosicler; muchos recogieron sus cuadros con motivos folklóricos: nopales, burritos, inditas cargando flores o pájaros, etcétera; otros, en cambio, los dejaban ahí pese a los insultos, como queriendo defenderse; éstos eran los más avanzados de los figurativos: los temas de sus cuadros eran quijotes, cristos, niñitos pobres, el hombre enajenado. Por último, parándose sobre una estatua, Rosicler pronunció un discurso acerca del genio esteticista y estético del Culeid pintor y del Culeid escritor,

señalando con agudeza que las influencias de sus cuadros correspondían en mayor porcentaje (el 90) a escritores vanguardistas y en menor medida (10%) a pintores de genio ultrarreconocido. Anunció la novela que Culeid preparaba sobre Culeid e invitó a todos los amigos a la fiesta del próximo sábado. Le aplaudieron como cinco botellas de duración, y el propio pintor, que es bajito pero muy fuerte, lo levantó en hombros y de Bellas Artes lo llevó hasta la Alameda y en la Alameda lo estuvo paseando en medio de los gritos de algunos miembros del Clan.

Julios, Monegal y Salas Toledo iniciaron juntos su carrera política en la Universidad, en ese maravilloso campo de preparación política, en ese laboratorio bien equipado para todos los manejos que requiere tal actividad. En aquel entonces ya eran amigos de Riveroll aunque sus ideas diferían. Ahora que los tres han dado sus primeros pasos, suspiran por carteras importantes: senadurías, gubernaturas, más adelante El Gran Hueso, dentro de un marco revolucionario.

La actuación política de estos jóvenes está condicionada por la tesis de Jorge Domínguez:

La revolución desde adentro,

que es el motor de quienes desean ser políticos y servir con ello a su patria. Como su nombre lo indica es una teoría de izquierda, de esa izquierda que no es gritona ni delirante, que no anda a caballo y que no sale de los principios marcados por el libro constitucional.

Sus aficiones literarias ofrecen ejemplos de que la cultura sí tiene valor político, de que ser literato o amigo de literato es benéfico en el escalafón burocrático: en orden de importancia: Torres Bodet, Agustín Yáñez, los hermanos Magdaleno, Andrés Henestrosa y tantos otros que/

Escenarios: sucesivamente las oficinas del Partido de Seudoizquierda, una cantina, el Palacio Nacional. Personajes: Jorge Domínguez, VLT, un presidente de la República, comparsas a montones. Lugar: el que ya saben. Época: la que quieran.

Acto único

I

Comparsa ocho (triste): Pobre Jorge Domínguez, desde su expulsión del Partido de Seudoizquierda, desde que dejó de ser el segundo de a bordo del maestro VLT, ha querido infructuosamente formar un nuevo partido o de perdida una organización chica.

Comparsa tres: Su capacidad para formarla no ha sido suficientemente sólida. Qué cosas, en un país en donde la izquierda es facilísima de dividir, Domínguez no podo hacer su fragmento.

Comparsa ocho: Está angustiado, ni el alcohol lo hace olvidar su situación.

Comparsa tres: ¿Ahora qué?

Comparsa ocho: Sigue bebiendo con sus leales. Pero no se rinde. Mantiene una gran dignidad. Y espera formar algún día un grupo fuerte para volver a la política.

>   (Se abre una puerta y se escucha la voz firme y serena del maestro de maestros VLT. Luego apenas asoma la cabeza.)

VLT: Pasen, muchachos pasen, todavía tengo algunas diputaciones de partido. ¿Qué distrito quieren?

II

>   (La cantina está llena: Es hora de la botana. Jorge Domínguez lleva tres días bebiendo como campeón. Sus leales permanecen cerca.)

Comparsa leal uno: El Jefe está destrozado. (Levanta la mano e indica que le traigan otro tequila). Pero todavía nos queda una esperanza: el amarrado es amigo del Jefe. Estudiaron juntos la preprimaria. Además, los dos apoyaron a Vasconcelos.

Comparsa leal cinco: Ojalá y se nos haga, especialmente por el Jefe. Ya nomás vive de sus artículos y nosotros se los tenemos que escribir.

(El Jefe levanta la voz y exige silencio. En tanto se evaporan los murmullos pide tequila y cerveza: el clásico submarino.)

Domínguez: Señores, ¡señores! No conozco más izquierda que la radical, que la extrema. Hay que pensar en hacer una nueva revolución, la anterior ha muerto. Yo he escrito cientos de artículos y ensayos que demuestran la caducidad del movimiento iniciado en 1910. (Casi simultáneamente bebe cerveza y tequila. Le aplauden. Agradece la breve pero sincera ovación). El PRI no es sino un elemento de la burguesía nacional en el poder. Tenemos aliados: grupos de estudiantes trabajan con campesinos y obreros, los convencen de la justeza de mi lucha.

Comparsa borracho doce: Cállate, loco. No mames.

Comparsa borracho seis (acercándose tambaleante al Jefe): Usted me cae a todo dar, le invito un tequila.

(El Jefe acepta. Ambos platican sobre la triste situación del país y sobre la revolución traicionada.)

Comparsa leal uno (al comparsa leal cinco): Voy a echarme un sueñito. Cuando el Jefe ya no pueda, esté tirado, orinado y vomitado, me despiertas para llevarlo a un hotel.

(Comparsa leal uno duerme, mientras su Jefe sigue en la tarea de ingerir bebidas nacionales. Queda profundamente dormido; por su mente pasa el monólogo del revolucionario mexicano.)

Comparsa leal uno (soñando): El heroísmo del Jefe no tiene límites constitucionales. Ha luchado contra todo lo que significa regresión. Su divisa: morir tranquilos, luego de hacer la revolución. Pero este último sexenio, el del ruizcortinato, ha sido especialmente malo para las luchas populares. Con Alemán sabíamos frente a quién estábamos: frente a canalla peor nunca estuvo revolucionario alguno. Con el otro nos descontrolamos. No supimos qué hacer. Por eso el Jefe escribió sus mejores y más lúcidos ensayos, para advertir al pueblo de las transformaciones que sufre la oligarquía gobernante; nadie los quiso publicar y siguen inéditos. No obstante, el Jefe jamás desmayará ni cejará en sus luchas. Él va a vencer. La historia le depara un lugar y un monumento al lado de los libertadores.

(Tiempo. Las luces se apagan muy lentamente.)

III

(Oficina lujosa. Banderas tricolores y escudos nacionales por todos lados. Quedamente se escucha la marcha de Zacatecas, de pronto se convierte en *El zopilote mojado,* cuando comienza la acción es el coro de los niñitos morelianos el que canta el Himno Nacional a ritmo de canto gregoriano.)

Señor Presidente: ¿Y qué desea nuestro querido amigo Domínguez?

Comparsa burocrático siete: Por lo pronto dinero, señor presidente, dinero para comprarse unos trajes, zapatos, ropa interior y editar una revista.

Señor Presidente: ¿Una revista?

Comparsa burocrático siete: Sí, licenciado, una revista de izquierda oficial, sin salirse de la línea.

Señor Presidente: Bueno, estudiamos juntos, juntos estuvimos en las gloriosas epopeyas del 29, dale lo que pida...

Comparsa burocrático siete: Pero..., también quiere una senaduría por el Distrito Federal.

Señor Presidente: ¿Tiene acta de nacimiento de aquí?

Comparsa burocrático siete: Claro, licenciado, Domínguez ha previsto todo.

Señor Presidente: ¿Ya ingresó en el PRI?

Comparsa burocrático siete: Desde hace tres semanas.

Señor Presidente: Díganle que para evitar suspicacias haga una buena campaña, con muchos discursos y promesas al pueblo; que invente algo sensacional que justifique su cambio y le dé fuerza al Partido. Respecto a la revista, concédale un subsidio anual superior al que le damos a las otras.

Comparsa burocrático siete: Correcto. Se pondrá feliz. Tiene buenas ideas que quiere poner en práctica.

TELÓN QUE CAE MIENTRAS UN TRÍO
CANTA MÉXICO LINDO Y QUERIDO.

ANTES
Jorge Domínguez en un artículo que por razones obvias se publicó en hojitas mimeografiadas: partiendo de los errores históricos cometidos por el Partido Revolucionario Institucional y por la Revolución misma y de sus desviaciones derechistas, propongo: a) que desaparezca el PRI por no ser un partido democrático, popular, revolucionario y capaz de producir cuadros honestos; b) que se seleccionen los buenos elementos que militan ingenuamente en dicho partido para

discutir y planear junto con los obreros, los campesinos y los intelectuales, la creación de un grupo en verdad revolucionario; y c) que se forme una alianza izquierda-moderada izquierda-extrema que tome el poder y que declare a México República Popular Socialista, preparando a la mayor rapidez dos cosas: a') la estructura económica para que el país pueda llegar al comunismo sin tardanzas; y b') un ejército rojo capaz de enfrentarse con éxito al norteamericano, a fin de evitar el aplastamiento de nuestro socialismo.

DESPUÉS

Efectivamente, compañeros, el documento leído en la Cámara por su autor nos da una idea de su pensamiento.

1: La Revolución Mexicana aún vive, quien afirme lo contrario es un loco, un extremista o un completo ignorante de la realidad inmediata.

2: La Revolución es un instrumento de las clases populares para llevar a cabo sus programas reivindicativos.

3: Los gobernantes emanados del movimiento de 1910 son revolucionarios, populares y progresistas.

4: El gobierno actual se caracteriza por su posición avanzada, antiimperialista y democrática tanto en los problemas nacionales como en los internacionales.

5: El PRI no es instrumento de la burguesía; es el arma que tienen los obreros, los campesinos y la clase media para defender sus derechos.

6: En México el único camino revolucionario es el de colaborar con las instituciones y mantener intacta la esencia de nuestra sagrada Constitución.

7: Todos los buenos mexicanos, los que rechazan las ideas exóticas, deben incorporarse al PRI y hacer a un lado a los extremistas de izquierda y derecha, a los vendepatrias.

8: La Revolución no puede hacerse desde afuera, no hay condiciones para ello, la historia lo demuestra.

CONSIDERANDO la importancia de la Revolución que hicieron los patricios Madero, Carranza y Obregón;

CONSIDERANDO que no hay más camino que el nuestro;

CONSIDERANDO que la correlación de fuerzas de nivel nacional favorece al Partido;

CONSIDERANDO que los delirantes traicionan a México; propongo lo siguiente:

ARTÍCULO ÚNICO:

Que hagamos la Revolución Desde Adentro.
Sufragio Efectivo, Nada de Reelección.
Año de la amistad México-Norteamericana.
Senador Jorge Domínguez

(rúbrica)

[Epílogo en primera persona del plural: Todos los leales, los que pasamos hambres al lado del Jefe, los que sufrimos vejaciones y miserias, ahora tenemos que seguir padeciendo al ir con él por el camino espinosamente revolucionario. La tarea es más difícil: las miradas de millones de mexicanos están sobre nosotros. El futuro le depara al Jefe un monumento junto a los próceres, con él venceremos.]

AL IGUAL que la militancia de Ruperto Berriozábal, la de Riveroll duró poco menos que poco. La lucha política aquí carece de sentido, dijo. Y se lanzó a una vida llena de inquietudes culturales, a una orgía intelectual, intensificando sus relaciones con el Clan y publicando notas satíricas en el suplemento de *Siempre!* o en la revista de la UNAM. Encontró en el cine un complemento de las palomitas, los muéganos y los helados. No hallarlos en los cineclubs le provocaban el berrinche, escena que festejaban sus admiradores.

Como era de esperarse obtuvo la beca Lezano. E invitaciones para dar conferencias en el DF y en universidades de provincia. Sus libros —tan esperados por prometidos— no aparecían, lo que no fue impedimento para que participara en el ciclo *Los narradores cuentan sus intimidades*, organizado por el INBA. Así como así: sin libros, con puras notas y articulitos.

Adelante tuvo la oportunidad que buscaba: hacer una antología poética. La hizo. Como publicidad para el libro, Riveroll —que tenía en puertas su *Autobiografía*— fue al concurso de Mr. México. Como lo esperaba, uno de sus acérrimos enemigos lo descubrió, lo fotografió y le dedicó una feroz nota en

Excélsior, cuyo título, muy amarillista, era "Enséñamelas, papacito". El texto prácticamente lo acusaba de andar mariconeando. Riveroll, a su vez, le dijo a un cuate de *Novedades* que lo retratara como concursante para Mr. México y le entregó la nota alusiva (que previamente había escrito). Entonces unos dijeron que Riveroll fue a ver a los fortachones para ligárselos; otros soltaron que tuvo la puntada de mostrar sus deficientes músculos; algunos más elaboraron la teoría de que no era Riveroll sino su doble, llevado por sus enemigos para atacarlo. Como sea, el libro *(Antología gigante de poesía),* pese a su elevado precio, se vendió muy bien. En seguida apareció su *Autobiografía,* la que en tres días —con publicidad eficiente: televisión: Paco Malgesto, Jacobo Zabludowsky; radio: Radio Capital, Radio Universidad— se puso a la cabeza en ventas.

La *Autobiografía* es un documento importante, es la visión bien locuaz de la ciudad, el documento humanohumorístico más sensacional de los sesentas, dijo la O'Jaldra. Algo parecido señaló Cafarel quien estaba endeudado moralmente con Riveroll. Y ambos coincidieron en que sería el futuro cronista de la Ciudad de México o el sucesor de Novo, el hombre cuyo humorismo le permite criticar todo aquello que sea camp o trivia.

—¿Escribe usted?

—Claro que escribo.

—¿Ha publicado algo?

—Pues sí, tengo tres o cuatro cosas publicadas en distintas revistas.

—¿Qué escribe?

—Generalmente poesía, aunque también trabajo la prosa y en ocasiones escribo teatro. Pienso, incluso por insistencia de familiares y amigos, hacer una novela.

—¿Qué tipo de poesía escribe usted?

—Poesía comprometida. En ella condeno las atrocidades cometidas por los dos grandes imperialismos, el ruso y el norteamericano, los sufrimientos de los pobres del mundo y denuncio a los malos mexicanos. Por ejemplo: ayer salió de la imprenta una plaqueta con mis poemas de mayor éxito: *Las tierras de Anáhuac son bellas y valientes,* de intención mexicanista. Sugestivo, ¿no? Ya lo había publicado varias veces; su aceptación me obligó a reeditarlo. Puedo decir orgulloso que es un poema con varias reediciones. Es muy bueno. ¿Se lo leo?

—No, no es necesario. ¿Prepara algún otro poema?

—Así es. Trabajo en un poema en el que critico al Clan y a todas las capillitas literarias que existen en México y que impiden el surgimiento de nuevos valores. En las oficinas, en el campo, en todas partes hay tipos de genio, sólo que esos grupitos impiden que salgan al sol de la fama. En mi poema pongo al descubierto las turbias intenciones de los grupos esnobs, extranjerizantes y sin talento. La crítica social del poema es durísima. Los tipos del Clan se van a poner negros de coraje cuando lo lean. Los pongo al descubierto, los encuero.

—¿Y la idea de la novela?

—Se trata de una novela sensacional. El asunto central destila alcohol, sexo y violencia. Ya verá. Toda ella escrita en un estilo demoledor y contundente. Les voy a enseñar a esos mafiosos cómo se escribe. Será una obra original, sin las mentadas influencias.

—¿Cómo dice?

—Quiero decir que la novelita en cuestión no tendrá influencias de ningún novelista, porque no he leído a ninguno. ¿Sabe?, es lo mejor para no contaminar el estilo.

—Sí, claro. Sus autores favoritos en poesía.

—Mire, me gusta Nervo, al menos lo que conozco de él. Tengo mala memoria pero al puro vuelo puedo decirle que tengo predilección por el señor que escribió *El brindis del bohemio,* el de México creo en ti, porque tu nombre algo tiene de nopal…, ése y tantos otros. Yo leo todas las noches *Florilegio poético del idioma español,* qué librazo, señor, qué librazo.

—¿Aparte de la literatura a qué se dedica?

—Tengo una chambita en Educación Pública, soy empleado de confianza, y otra en Industria y Comercio que nomás cobro. De esta última saco para mis ediciones; como los intelectuales fifís se han adueñado de todas las editoriales, no queda —a los escritores honestos— sino editar uno sus propias cositas.

—¿Cuál es su opinión sobre Ruperto Berriozábal?

—Ni me lo miente. Es un tipo asqueroso. Es un traidor a México, le encanta hablar contra sus compatriotas y se la pasa viajando. Hasta se atreve a criticar a la Revolución de 1910. Además, estoy seguro de que es comunista, ha estado en Cuba y en Rusia y cuando habla mal del imperialismo sólo se refiere al de Estados Unidos y se olvida del ruso que es el peor. Es un mal mexicano. Pero yo lo voy a desenmascarar, escribiré un ensayo sobre los valores de México; según él, no hay ninguno; le voy a demostrar su equivocación.

—POR FIN se le hizo a Cafarel, ya tenía buscando el trabajo como tres meses.

—Yo creo que pasó más tiempo buscándolo. Desde antes de entrar a la revista de Jorge Domínguez.

—Y se lo dieron justo en el momento en que su última novela llegaba a la quinta edición. Pensar que empezó plagiando a autores poco conocidos.

—También le ayudó mucho su amistad con el rector de la Universidad. Las primeras chambas se las dio el viejo; él ordenó que aparecieran sus primeros cuentos en la revista de la UNAM y luego ayudó a que publicara sus libros. Si bien es cierto que la Universidad no distribuye sus ediciones adecuadamente, también es ciertísimo que Cafarel es el amo de la publicidad.

—Te diré, sigue refritando cosas. Aprovecha su conocimiento sobre literatura, poco usual aquí, para fusilar un párrafo de Talautor, otro de Fulanin. Del mismo modo hace su nota semanal, sacando todo de las solapas. Esto se lo copió a Ornelas, quien ignora otra forma de hacer sus críticas bibliográficas, por eso le dicen Solapípedo.

—¿Y en los libros que no traen solapa ni explicaciones en el prólogo?

—Entonces se Chinga.

—Director de la Casa del Lago es buen empleo y si a éste le añadimos las otras chambas que tiene, qué lanal gana.

—A mí me cae rete bien. Y eso que cuando me encuentra en reuniones importantes ni me pela o apenas me saluda discretamente. Pero qué tal con los famosos, se derrite por estar cerca de ellos. Retratarse al lado de Berriozábal es su mayor anhelo.

—Y de quién no. Te da prestigio. Yo conseguí que me retrataran con Culeid y él no se dio cuenta de cuándo nos fotografiaron.

—Ah qué Cafarel, tiene muy buenas relaciones entre los políticos y entre los intelectuales.

—De las mejores.

—Como propagandista es bastante buen discípulo de Berriozábal o de Culeid. En algunos momentos pienso que es superior o al menos más audaz. ¿O no es buen truco provocar la expulsión de un maestro que ingenuamente recomienda a sus alumnos de secundaria su novela *Desnudos estamos* para que analicen los problemas filosóficos planteados en ella? Expulsan al pendejo éste y el escándalo llega y llegan las ventas. El desmadre salió en la nota roja de varios periódicos. Lo vaciado es que Cafarel le prometió regalías al maestrito ése y hasta el momento no le da un clavo.

—Qué ahuecada. Yo sí pienso cumplir mi compromiso con los cuates que mañana van a quemar mi novela frente a la Catedral, acusándola de herejía, señalándola como propaganda atea y antirreligiosa. De blasfema no tiene nada, pero qué tal el escándalo, ¿eh?

—¿Cuántos ejemplares van a quemar?

—Nada más ocho, se trata de un simbolismo.

COINCIDIENDO —o anticipándose, según quien lo diga— con Susan Sontag, Rosicler y Riveroll manejan la genialidad que se limita a una sola palabra: Camp Julieta O'Jaldra los secunda en el experimento satíricocultural.

La sala está atestada. No hay lugares vacíos. Hay gente en la escalera y en los pasillos. Los participantes aguardan en sus lugares. El acto se anuncia. La mesa redonda sobre el Camp comienza. Riveroll, Julieta O'Jaldra y Rosicler son los actores esta ocasión, fuman con avidez. El público les aplaude efusivamente. Sonríen. Hay fotógrafos, reporteros; personalidades, hasta Ruperto Berriozábal está allí, avalando el acto con su espléndida figura, él, el único monstruo sagrado que ha producido México.

Con la palabra Camp podemos denominar personas y cosas, artistas y literatura, países enteros, señala Riveroll. Cierto, dice la O'Jaldra. Interviene Rosicler: Para Susan Sontag es una visión del mundo a partir de un estilo particular, que ama los extremos, lo exagerado, lo inconsciente y que convierte las cosas, invirtiendo las tablas axiológicas normales.

El tiempo libera a la obra de arte de su trascendencia moral y la entrega a la sensibilidad Camp. Lo que fue banal, intrascendente, con el tiempo puede resultar fantástico. Riveroll aclara: Los introductores de la nueva modalidad somos nosotros, un poco influidos por Ruperto (lo saluda). Lo que es serio, puede ser risible y viceversa. Lo que hacía llorar, puede ahora provocar carcajadas a montones. Camp es el predominio de la forma sobre el contenido llevado a excesos. Camp es el surgimiento de una nueva estética, de una nueva sensibilidad. La O'Jaldra asiente. Fuma. Riveroll sigue hablando: Camp es aquello tan malo que resulta bueno/ Rosicler deja de fumar e interroga: Y nosotros que somos tan buenos, ¿no podríamos en el futuro ser pésimos? Los tres dejan de fumar. Reaccionan.

Hacen a un lado la interrogante. Por fortuna casi nadie la oyó. Ninguno de los tres la recuerda ya.

En seguida Riveroll clasifica diciendo que hay High Camp, Middle Camp y Low Camp, de acuerdo con la calidad intrínseca.

Rosicler dice que vía la Sontag existe una clasificación más amplia: suelta un listón de veintisiete puntos. He aquí la esencia de lo Camp, concluye Rosicler. Hay que darse cuenta de lo ridículo de una obra para poder apreciarla, aventura Julieta. Se encienden nuevos cigarros: tres para ser exactos. Riveroll prende uno más, ahora tiene dos: un cigarro en cada mano. Es una estética o mejor: una corriente estética situada entre el mal y el buen gusto y diferente a éstos, dice el último.

Julieta O'Jaldra está completamente de acuerdo y sonríe para demostrarlo. Saca los cigarros y los pone sobre la mesa. Es curioso notar que la O'Jaldra se inhibe en público: el terrible energúmeno de la ironía periodística que es en sus artículos se diluye quizás a causa de su frialdad y su gordura. La gente —mayoría estudiantil— goza a rabiar con los comentarios. Tosen a causa del humo. Camp. dice Rosicler, es amar lo off, desdeñar lo on y lo out. No hay que ver la belleza sino el artificio. Es la extravagancia. Y apaga su cigarro contra el brazo de la O'Jaldra, quien de nuevo coincide con lo expuesto. Riveroll: No olvidemos que también hay Camp Conciente e Inconciente/ Aunque predomina el Inconsciente, le rectifica Rosicler. Y no hay que confundir lo Camp con lo cursi: son términos opuestos. En cambio lo Camp y lo trágico son antitéticos. Riveroll vuelve a la carga echando humo hasta por las orejas y señala que el Camp es la mejor manera de ver el triunfo —como diría la Sontag— de la ironía sobre la tragedia. Es la mejor manera de sobresalir en una sociedad de masas. Para Culeid es más patente lo Camp en el terreno de las artes plásticas: Diego Rivera y Siqueiros son campísimos ejemplos. Gráfica Popular es Camp Inconsciente. Cierto, afirman simultáneos los otros dos participantes. Rosicler sólo añade: Dalí no puede ser Camp porque es malo hasta lo risible, pero no hasta lo gozable. Si el Pop Art es la reivindicación del objeto olvidado, inservible, el Camp es la revaloración de lo pésimo. Fuman los tres. Tiempo. El público está botándose al suelo de la risa. Muchos toman apuntes. Sigue Riveroll: Algo es Camp cuando su forma sobrepasa la importancia del contenido; lo que engendra su propia parodia. Son ejemplos de Camp Agustín Lara y María Félix; para ser clásicos e internacionales, Chopin y George Sand; la política mexicana es Camp con Plutarco Elías Calles y los discursos de Jesús Urueta. La literatura nacional nos da casos de Camp Consciente con Artemio de Valle Arizpe, González Obregón, Ermilo Abreu Gómez. El Camp Supremo o Inconsciente (en México es predominante) está en los films de Juan Orol, del Indio Fernández, en Bette Davis, en Cecil B. de Mille; en la arquitectura es Gaudí, la Iglesia de San Patricio en Nueva York. En México las colonias Roma y Polanco.

Los ejemplos de Camp se multiplican en medio de un humo atroz, sólido (no hay ventanas abiertas). Los aplausos aumentan de intensidad hasta hacerse insoportables para los mismos participantes. Pero ya no hay gente. Rosicler, Riveroll y O'Jaldra (animada vence su timidez) hablan y hablan. Lentamente se van durmiendo: la sesión ha sido agotadora. El silencio reduce las proporciones del pequeño departamento. Sólo permanece el humo que no tiene por dónde escapar. No se escucha nada, persiste el olor a mariguana. Los participantes de la mesa redonda están profundamente dormidos. Fue un éxito para los intelectuales de avanzada. La gente salió terriblemente satisfecha del auditorio de Ciencias.

OREMOS POR CUBA.

Por la señal, etcétera.

Oh Dios, protector nuestro, míranos y defiéndenos de los peligros del ateísmo, de la masonería, del protestantismo, del comunismo, para que —alejada toda perturbación— te sirvamos con libertad de espíritu.

Cristo, nuestro Señor, líbranos del Dragón Comunista, dígnate humillar a tus enemigos, a los profanadores de tu culto y de tu iglesia.

Después de rezar treinta veces la anterior oración, invita a familiares y amigos a las misas de solidaridad de la Virgen de Guadalupe con su hermana, la Virgen del Cobre, caída en desgracia, que diariamente se llevarán a efecto a partir del próximo domingo 15 de enero, en la Basílica de Nuestra Señora de Guadalupe.

Hermano:

Esta hoja debe reproducirse y hacerse circular, quien no lo haga así se condenará para siempre.

Oremos fervorosamente por la derrota del régimen comunista que agobia a Cuba.

La señora mamá de Rex Cótex volvió a leer. No me quedó tan mal. Escribo con fluidez y mucha claridad; de mí le vienen las aficiones artísticas a Rexito, seguro. Somos una familia de mucha inteligencia.

Por fin comenzaba la lucha en contra del castrocomunismo, como es llamado el sistema cubano por la inefable prensa mexicana. Anteriormente, el general Aureliano Cótex le había negado el permiso. No mujer, no, espérate, la correlación de fuerzas, todo eso, ya sabes. Ella sabía. No dijo nada. Rezando esperó el momento idóneo. Al darle autorización, el general explicó: Las relaciones diplomáticas con Cuba seguirán, el decoro internacional del país lo exige; qué queda: las tesis de autodeterminación de los pueblos y de no intervención son tradicionales, no se pueden romper. Pero la política es así. El Presidente, como te habrá contado su esposa, está encarcelando a los comunistas que agitan y han permitido que el FBI friegue a todos los que viajan a Cuba o escriban a favor de Castro Ruz. Somos incompatibles. Hay un abismo entre las democracias representativas de América Latina y la dictadura criminal cubana. Duro con esos castristas. El propio Jorge Domínguez les prohibió a sus colaboradores tocar el tema. Ella le repuso: No podíamos esperar menos de un presidente poblano, acuérdate lo bien que nos fue con Ávila Camacho, Dios lo tenga en su santa gloria.

EN SU ADOLESCENCIA, Rexito era afecto a correr pequeñas aventuras. Pedía permiso para estudiar durante las vacaciones en casa de un compañerito del Instituto México (en donde realizaba los estudios secundarios, conocía una versión extrañísima de la historia mexicana y rezaba hasta que no aguantaba las rodillas de estar hincado) y se largaba de aventón a Cuernavaca o Acapulco. En uno de esos viajes, Rex descubrió que no siempre era el último para todo.

—¿Quién entra? —repitió interrogante Rex a sus dos compañeros del México. Los tres permanecían frente al cuarto del hotel de segunda clase, lejos de la playa y del mar.

—Si hubiéramos venido con dinero podríamos comer y regresar al D.F.

—Y ni manera de pedirlo a nuestras casas... Venir a Acapulco, ¡sin lana!, ¡pinche idea!

—Déjense de lamentaciones: ya sabemos cómo conseguir papeliza. Pero, ¿quién entra?

—Lo mejor es jugar un disparejo: al que le salga águila entra. ¿Quihubo?

Nadie meditó mucho rato. Cada uno extrajo su moneda y las lanzaron en constante girar. Atrapadas. El primero abrió la mano, inseguro: sol. El segundo con timidez hizo lo mismo: de nuevo sol. Rex, imitándolos, expuso su moneda pero con mayores temores: cara semejante. Nadie entraría. Intercambiaron miradas. Comprendiendo que no quedaba más remedio, otra vez arrojaron las monedas que fueron móviles y luego cautivas y que al fin mostraron sus relieves. Ahora no hubo idéntico resultado; a uno le correspondió en suerte águila, sí, a Rex. Titubeando se despidió de sus amigos.

—No tardes manís, tenemos hambre.

—Hay que regresar rápido. Pórtate bien ¿eh?

Rex dio la espalda a los sarcasmos y resignado penetró en el cuarto. Le dijo al hombre —que aguardaba con la ansiedad reflejada en los ojos y en los labios y en los dedos— que a él le había tocado y se dirigieron a la cama.

MAGDALENA, CON gesto desolado, más bien fingiéndolo, dice a Regueiro que nanay de trago. Regueiro se incorpora, deja el sillón con cierto trabajo y empieza a caminar tambaleante hacia la cantina. Tiene que cruzar por entre una muchedumbre terrible: una selva intransitable y ruidosa. Choca con Culeid (órale, viejo), tropieza con Rosicler (fíjese por donde va). Por fin llega a la cantina, sirve dos jaiboles. E inicia el penoso regreso: ahora los del grupo II y parte del IV gogocean. Ruperto está disertando sobre Nouveau Roman. Benavides aterroriza a unos muchachos hablándoles de las vitaminas y las calorías que poseen los hongos alucinógenos. Dice que los come a diario, que le permiten escribir con mayor lucidez, aparte de provocarle alucinaciones bellísimas. En el grupo III insisten en salvar a México del subdesarrollo.

Magdalena fuma cuando Regueiro le hace entrega de su jaibol. Se siente algo bebida; él también, la mariguana lo pondrá mejor, con ella adquiere un grado superior de inteligencia, al menos eso supone, no conoce otra forma de escribir, un cartuchito o dos y las cuartillas empiezan a salir de su vieja Rémington portátil, la que lo acompaña desde 1952, año en que se fue a correr mundo por vez única: Cuba, España, Italia, Francia, Casamiento, Luna de Miel, Holanda, Bélgica, Londres, Francia de nuevo, México de regreso, Hijos.

Magdalena le acaricia las mejillas a Regueiro. ¿Por qué no trajiste a tu esposa? No responde y bebe. Sabes, me caes bien; aunque tus libros me parecen ancianos y no me gustan para serte franca. Regueiro se altera visiblemente. Juega con sus anteojos. Los limpia. Algo que no tolera son las bromas sobre sus libros. De cualquier modo, sigue sin hablar, lo que es raro: siempre está hablando. Hablando. El ruido circundante parece atontarlo. Escucha a Magdalena como entre sueños o como si estuvieran separados por una gran distancia.

Pues sí, buen amigo, hoy serás mi confidente. Quiero decirte algunas cosas; te tengo confianza; creo que por eso te invité a venir. Es horrible, ya ni ganas de escribir tengo, hace siete meses que no escribo una línea. Voy a conferencias, al cine, al teatro, leo mucho, participo con Rex y las Corrillo en varias actividades culturales, estudio composición dramática con Hugo Argüelles y no me siento satisfecha. Por el contrario, tengo una sensación permanente de vacío, de soledad, me aburro, imagino que igual que los otros, por eso siempre busco cosas o situaciones divertidas, que me distraigan. Acostarme con alguien, con quien sea, equivale a una satisfacción momentánea; concluido el acto, al no producirse la fusión que busco, vuelvo a sentirme intranquila, como si algo me faltara; comprenderás que es imposible pasarme la vida encamada. No puedo y sí tengo otras cosas que hacer. He llegado al extremo de acostarme con quien me lo pida (siempre que me guste). Si no me lo piden en el acto, jamás cedo a sus proposiciones. O todo depende de cómo me pidan estar con ellos. Una vez, en la CU, estaba esperando por puntada a mis papás. Un maestro que me encantaba dio miles de vueltas para proponerme una salidita ridícula al café de Las Américas, cuando todo me hizo pensar que iba a ser audaz. Lo mandé al diablo. Pero me quedé excitada. A la mano tenía un mozo que hacía la limpieza en la Facultad; como estaba pasable y se acercó a mí casi con intenciones violatorias, invertí los papeles, como en el cuento idiota, y lo seduje. Él, buen mexicano, debe estar pensando en que me fornicó sin mayores problemas y sin esfuerzos. Es una pena que el hombre sea incapaz de sentirse seducido, su machismo, su hombría lo convierten siempre en seductor, así su virilidad no es menoscabada y se puede realizar a plenitud en el acto sexual.

Carlos Ponce es amante de Rosicler; o quizás ya no son nada; pero fueron y, cosa extraña, duraron bastante. Rosicler acostumbra cortar rápido a sus amantes. Le aburren en seguida. Lo más que ha durado con alguien son tres semanas y media. Debe ser su necesidad imperiosa de nuevos ligues. Además, nada de trabajo le cuesta conseguirse amantes. Le basta ir a la Universidad o a un cine o al teatro o a una fiesta; pone el ojo en un güerito (qué complejos tan de país subdesarrollado) inteligente o no y lo liga sin esfuerzos. Anda en la pesca grande; nada de feos, puro rostrazo. En una ocasión conquistó a un jovencito en la Parroquia Universitaria, para audacia de tipo. Lo descubrió en Odontología (fue a ver el grupo de teatro del lugar) y lo siguió hasta la Parroquia. El cuate aguantaba horrores. Rosicler entró, sentándose cerca de él. Así estuvieron un rato. Al verlo rezar, Rosicler lo imitó cruzándose de brazos y poniendo cara de menso. El muchacho parecía estar a punto de ordenarse sacerdote, no se volvía a ver a nadie, ni siquiera notaba las miradas furtivas del cazador que fingía concentrarse en sus oraciones. Para espiarlo mejor se puso a leer *El Sol de México*, único y reaccionario periódico capaz de entrar en la Parroquia. El jovencito parecía esperar a alguien. Correcto. Llegó un sacerdote y entró al cubículoconfesionario. Dentro, quitándose la gabardina se puso una cruz de madera, de las que usan las gordas sangronas de los círculos cultos. Se asomó para indicar al jovencito que pasara. Rosicler tuvo que esperar una hora (un buen ligador igual que un cazador experimentado debe tener paciencia). Ojalá no se lo vaya a ligar, estos curitas son terribles, ya conozco a tres maricas, pensaba molesto mientras continuaba hojeando el solecito que calienta a la reacción nativa. Cuando salió el muchachito, rostro celestial, sonrisa de beatitud, Rosicler no aguantó el ji ji ji, las condiciones están dadas. Faltaba apretar el gatillo: la presa estaba en la mira. Rosicler llegó dándole por su lado (había averiguado el apellido del sacerdote): Oye, estuviste con el padre Sagrario ¿verdad? Es formidable, yo me confieso cada tercer día con él. Beatito lo vio y sin reservas comenzó a platicar, a entregar parte de su espíritu. Era el inicio de una amistad pura; después de todo, ambos tenían el mismo confesor y, casi seguro, los mismos objetivos: castidad y devoción a Dios. Hablaron, por supuesto, de temas religiosos. Al llegar al estacionamiento de Odontología, Rosicler había repasado con éxito sus conocimientos infantiles de Historia Sagrada. Caminaron la distancia de la Parroquia a la Facultad casi sin tocar el suelo, sobre una nube azul sostenida por querubines sonrosados, oyendo música celestial. Rosicler, sin ver a su nueva amistad y presunta víctima, hablaba con vehemencia de san Martín de Porres y de su escoba milagrosa; juraba haber visto dos milagros suyos concedidos por intercesión de la Virgencita Morena. En el coche, Rosicler puso cara de cardenal cursi y le dijo al beatito que en su casa tenía un ejemplar facsimilar de la Biblia policromada de Borso D'Este y una astilla de la Cruz (así, con mayúscula). La invitación fue aceptada con entusiasmo cuasi místico.

En su casa, Rosicler, quién sabe cómo, se las ingenió para poner una astilla del trapeador en una cajita de plástico con algodones, con rapidez insólita y sin que se diera cuenta fray menso. El católico empedernido se hincó y la besó, trémulo, mientras Rosicler iniciaba el cachondeo. Al salir del éxtasis el hermano estudiante se alarmó un poco, al fin estaba en casa de un servidor de Dios, en el hogar de un buen cristiano. Ante las insistencias de Rosicler, se bebió un coñac (le dijo que estaba bendito por el señor Arzobispo). Al segundo, el posible monje tenía los pantalones hasta el tobillo y Rosicler lo besaba y manoseaba a placer. Apagando la luz, lo llevó hasta la cama; el servidor del Señor caminaba con dificultad, pues los pantalones le obstaculizaban los pies. En ella lo desvistió completamente y mientras Rosicler se quitaba los calzones, ponía una misa del maestro Bach (a volumen respetuoso) y saltaba a la cama, el frailecito apretaba su medalla del Sagrado Corazón de Jesús y rezaba el Padre Nuestro confundiéndolo con el Yo Pecador. En cambio, con Carlos Ponce la cosa tomó un giro radical. Se co-

nocieron durante una función de teatro en la Casa del Lago
(La cantante calva). Carlos, al concluir la función, dio muestras de talento poco común al opinar sobre la obra y la producción total de Ionesco. Rosicler hizo algunas insinuaciones
que le fueron contestadas por Carlos con otras más atrevi-
das. Eso decidió a Rosicler a pegar su chicle. Y se clavó en
seguida de Carlos Ponce. Próxima cita: casa de Rosicler; hora: ocho pe eme; objeto: leer los poemas de Carlos.

Los leyó. Rosicler, cosa extraña, no se atrevió a atacarlo
de inmediato. Se sintió tímido. Y el faje fue hasta la cuarta
sesión poética y a instancias del propio Carlitos. Así se inició el romance, el amor que condicionó el lanzamiento de
un nuevo valor de la poesía nacional.

CAFAREL TARDA en escribir una novela algo así como seis años.
Es lento, no tanto como Arturo Coronet que dura diez años
escribiendo un libro. Cafarel no tiene prisas, va despacio. Sabe
que tarde o temprano, más temprano que tarde, llegará a donde quiere. La literatura es para él un medio, el fin es tener
puestos importantes, ganar harto dinero, figurar, destacar. Por
eso desde los quince años ha jugado al funcionario: serio,
tenebroso, buen bebedor (todos deben caer antes que él o
firmar primero), jamás asiste a reuniones de gente mediocre, invita exclusivamente a quienes desea transar, es amigo
de muchos políticos importantes, bueno, se prepara, se prepara; llegará a ser un altísimo funcionario a go-go, de los que
renovarán la administración pública: los burócratas, cuando

él sea secretario de Educación o director del INBA, en lugar del simple y vulgar café, ingerirán coca-colas. Una máquina que escupa coca-colas en cada oficina y música moderna será su lema. Nadie se lo reprocha, hasta ahora los burócratas, además del cafecito, convierten las dependencias oficiales en verdaderas loncherías como a eso de las once de la mañana, y es frecuente descubrir a los jefes con racimos de tacos en cada mano. Por lo que a música respecta, no se escucha más que folklórica, composiciones de autores nativos que exaltan la pasión nacionalista que cada mexicano lleva en las fibras más sensibles de su cuerpecito mal alimentado.

Por ahora trabaja en tantas cosas que su mamá diariamente se ve obligada a hacerle una lista de sus actividades y de las personas que tienen algún asunto importante con él. Aún bajo tales circunstancias, Cafarel no rechaza la oportunidad de ganar dinero y acepta cuanto le ofrecen. No es explicable: a qué horas escribe, a qué horas; hace poco le propuso al ministro Heil (mexicano aunque de apellido alemán) corregir la sintaxis al original de la Sagrada Constitución; como sospechó que sacar la Carta Magna de su recinto era peligroso (algún extremista podría hacer modificaciones en los artículos caducos que ya suman varias decenas), la idea fue rechazada cortésmente, pero su inteligencia, le dijeron, se tomará en cuenta para futuras ocasiones. Cafarel acaba de instalar un negocio de prólogos y solapas. Esta sociedad anónima la hizo él solo. Las oficinas están en Madero e Isabel la Católica que, como se puede comprobar fácilmente en una Guía Roji, hacen esquina. Contrató a varios escritores con ideas modernas, como el Banco de Comercio, entre los que están los jóvenes José Agustín y Gerardo de la Torre, profundos admiradores suyos. La división del trabajo en *Cafarel's Compani* (sic) es notable y responde a los más rigurosos objetivos de la administración de empresas. Unos escriben prólogos, otros, las solapas de los libros, varios más promueven escritores poco conocidos haciéndoles notas en los periódicos, entrevistas, presentaciones en televisión, etc. Cafarel cobra caro, los precios son fijos y nada de rebajas, ni siquiera a los amigos ni a los recomendados. En el caso de los prólogos éstos pueden ser de dos formas: hechos sobre pedido (los caros) y los prólogos ya impresos; sólo se pide un prólogo para novela de adolescentes, por ejemplo, y listo. Lo último es un medio para ayudar a escritores paupérrimos y como es lógico están escritos en serie e impresos en mimeógrafo, usando papel barato. Cafarel dice: Trabajo por la cultura y gano lana. Él en persona presenta el muestrario de prólogos a los clientes y sugiere la compra de acuerdo con la personalidad del escritor. Adelante, piensa ampliar el negocio y poner un departamento de títulos para libros en general: poesía, ensayo, novela y cuentos.

Sus méritos son reconocidos y con frecuencia se jacta: Vivo de mis free lances y de mis negocios y vivo bien.

Como los buenos escritores jóvenes menores de veinte años, abomina lo tradicional, le molesta que usen el saco con anticuadas solapas. No tolera el pelo corto. Considera a la mayoría de los intelectuales fuera de onda. Detesta a los que beben ron barato. Y pobres de los que fuman cigarros del país. Sus aportaciones a la literatura suman un buen tambache: nada de guiones en los diálogos o comillas o cursivas, son concesiones al lector. No hay que dar nada masticado. Una ocasión le dijeron que ha tiempo varios escritores europeos y Vicente Leñero habían evadido esos recursos por considerarlos inútiles e innecesarios trucos. Cafarel, molestísimo, respondió que no sabía nada al respecto, que trataba poco a Leñero porque no era mafioso y que, en última instancia, esos autores y él coincidieron para beneficio de la literatura universal.

RUMBO AL avilacamachismo Regueiro decidió casarse de nuevo. Lo hizo. Surgió un problemita: aún no se divorciaba de su anterior esposa. Tuvo suerte, y por unos pesos a un juez, la dificultad desapareció. A la ex, que reclamaba su regreso, hijos de por medio, le bastaron quince patadas y ocho bofetadas en plena calle transitada para no volver a plantarse frente al escritor Regueiro.

Regueiro estaba decidido a triunfar, a ser el Cervantes del siglo veinte. En esa época, durante su tercer casamiento, escribió sus mejores libros, al menos eso creyó. Dominaba el lenguaje y en su medio folklórico atormentado por la novela de la revolufia y el conflicto rural (estimulantes de lágrimas una y otro), Regueiro anticipaba la novela urbana con ciertos procedimientos modernos. Lo curioso es que jamás se le consideró innovador en ningún sentido, y como su temática fue superada a velocidad estratosférica lo arrumbaron en cualquier biblioteca polvosa y solitaria.

Tuvo un hijo (y aumentó su cuenta a tres) y su matrimonio comenzó a resquebrajarse; la esposa fue golpeada y regañada porque, en un exceso de amor, dio al hijo el mismo nombre de Regueiro. Y como por razones de legalidad tradicional en el juzgado le pusieron el mismo apellido de Regueiro, enfurecido grito: ¡Te das cuenta, este niño va a vivir de mi fama, mi prestigio, de mis méritos, de mis libros, de mi nombre!* El enojo desapareció cuando, en medio de un penetrante olor a petate quemado, le dijo que sus dos hijos vendrían a vivir con ellos. Su siguiente paso para tranquilizarse fue visitar a su prima, una actriz de teatro con la que llevaba una relación incestuosa. Ajá, cada vez que veía al niño (flaco, prieto y feo igual que él) se enfurecía, repetía la misma cantaleta y visitaba a su primita.

La fama se le negaba. Sus hijos literarios no eran comprados por nadie,

ocasionalmente por familiares, amigos burócratas y despistados literarios que abundaban en la parte del continente americano que todos denominan México.

Un día estuvo en una superorgía (dijo que iba a un congreso de historia) y al regreso se enteró de la gravedad de sus dos primeros hijos, que eran gemelos: pulmonía cuata. Su esposa, como de costumbre, fue la culpable. No sabes cui-

---

* Parece que un grado complejo de inconsciencia le impidió a MR darse cuenta de que nadie tomó en serio su obra y su personita estirada.

dar a mis hijos, eres una irresponsable, dejaras de ser mexicana. La insultó un rato; luego insultó a la familia de ella; para terminar: No me mereces, eres una ignorante. No sabes convivir con un intelectual. Mientras yo asisto a congresos que aumentarán mi prestigio y engordarán mi curriculum, tú descuidas la casa. Y por primera vez sufragó unos gastos: los requeridos por la enfermedad de sus hijos Aquiles y Ulises. (Antes no había dado ni para la leche —ella era maestra de primaria y con su raquítico cheque mantenía la casa del genio— y a veces la obligaba a ir a la Candelaria de los Patos a conseguir mariguana y ante el vendedor le hacía pagar la yerba).

Los niños murieron debido a un diagnóstico fallido, aprobado por Regueiro. Tres días después del entierro pidió a su mujer el divorcio. Ella estaba hasta el gorro y se lo concedió en el acto. Madre e hijo partieron a penosas jornadas. Regueiro y talento se fueron a vivir a casa de su prima actriz y a escribir un libro sobre Aquiles y Ulises y la culpabilidad de la madrastra en su fallecimiento simultáneo.

Seis meses, mil cigarros de mariguana, cientos de botellucas de ron y el libro quedó concluido. Regueiro tuvo buen cuidado de evitar cursilerías y toque sentimental y de imprimir un ritmo poético adecuado al tono dramático que poseía. *Una tragedia griega en México* no alcanzó el éxito que esperaba, a pesar de que el título atrajo compradores y críticos. La señora fama no llegó. Soy un genio incomprendido, concluyó, nadie sabe valorarme, ya lo dijo Vasconcelos: Aquí nada más se premia la mediocridad, no el talento.

Exilio voluntario, a falta de éxito literario.

Partió a Cuba. De Cuba —allí tampoco lo comprendieron— a Europa. En barco de carga. Más que su talento ahora le importaba su audacia. Al menos en Europa podría completar su proceso cultural y aprender un par de idiomas más.

En París tuvo momentánea conciencia de sus deberes paternales y envió a su pequeño hijo un franco cancelado y una carta conmovedora: Dear son (mostraba su incipiente cosmopolitismo): Las causas de mi alejamiento algún día las conocerás y las comprenderás. Gasta este franco y siempre toma en cuenta que llevas\ mi nombre y, como si esto fuera poco, llevas también mi apellido. Cuida de ambos. Son motivo de orgullo. Los Regueiro somos intelectuales de pura cepa, somos geniales; en especial yo. No olvides esto. Has tenido la suerte de nacer de un padre intelectual, de un padre escritor, de un padre cultísimo. Posees además la ventaja de tener abiertos todos los caminos del arte, mi solo nombre te guiará, te dará las fórmulas para transitarlos. No olvides que tienes el privilegio de poder decir: Regueiro es mi padre. He aquí cómo Regueiro puede hablar con Regueiro/

A vuelta de correo, Regueiro recibió un billete de diez pesos de la época de la Revolución y nada de carta.

Brevísimo panorama histórico de la estancia de Regueiro en París para que los hacedores de la Historia trágica de la literatura no vayan a confundirse en caso de incluirlo en ella. Andaba muerto de hambre, y para su fortuna, Torres Bodet había llegado a la Secretaría General de la UNESCO (*cf. Every Men United Nations*). Seguía sirviendo a su pueblo en Francia, entre planes para erradicar el analfabetismo mundial semejantes a los que acabaron el analfabetismo aquí. El funcionario le dio un empleo, y para seguir comiendo, Regueiro se completó con los artículos de *El Nacional*, cuyo director, aprovechando la estancia del novelista en las Uropas, lo nombró corresponsal extranjero de la cultura. En cuanto tuvo algunos francos los tradujo a dólares y se casó con una parisina. Viajando por los países enanos pasó su luna de miel número cuatro. Al agotársele la dolariza pensó regresar a México para acrecentar su obra. Ahora sí a conquistar la fama.

Nadie fue al aeropuerto con flores o sin ellas a recibirlo. (Casualmente se topó con Emilio Carballido, quien lo saludó a distancia antes de abordar el avión. Alquiló un modesto departamento en la colonia Roma. Corrió después a Educación Pública, donde estaba de nuevo instalado nuestro único funcionario internacional, Torres Bodet, para exigir unas chambas. Del comunismo no había vuelto a acordarse y como la burguesía se había afianzado en el poder no hubo necesidad de mencionarlo.

Para vivir mejor inventó una sociedad pro libro latinoamericano, en compañía de su hermano (novelista frustrado, alcohólico exitoso, también orgulloso de su apellido y consciente de su genialidad incomprendida) y de ella sacó lo necesario para casita y un cochecito (ruso, porque hay muchas maneras de ayudar al comunismo).

Decidido a afianzar su matrimonio tuvo varios hijos, otros descendientes que asimismo vivirían bajo la gloria insuperable del papá. Pobrecitos. Cuando quiso retornar por sus fueros intelectuales descubrió que todos se habían olvidado de él. Se informó cómo andaba el mundo del arte: no conocía a los nuevos y los viejos ya no escribían por haber conseguido sus objetivos: grandes empleos en el gobierno. Publicó un libro más (edición de autor, como todas las suyas, mil ejemplares que nunca terminarían de venderse). Pero Habría que empezar de nuevo.

CULEID ES un genio: ha creado nuevas formas en la pintura mexicana, opinan unos. No obstante, existen grupos que piensan que Culeid es un farsante, un fanfarrón con talento sólo para hacerse publicidad.

Desde que estudiaba en San Carlos su figura era sumamente discutida. Ahora la polémica en torno a él y a su arte ha llegado a extremos inauditos.

Culeid tuvo la gentileza de invitarnos a su casa. No precisamente a hacerle una entrevista, sino a platicar, a intercambiar opiniones sobre sus dibujos, sus declaraciones, sus libros y su personalidad.

Su casa es amplia y de buen gusto, amueblada con sencillez, da la impresión de ser lujosa: sin duda los arquitectos que la construyeron tomaron en cuenta sus opiniones. Nos recibe en la sala: las paredes y aun el techo están cubiertos por sus cuadros, dibujos y apuntes: Culeid como Goya, autorretrato a la manera de Lautrec. Culeid leyendo un libro de Berriozábal, Culeid discutiendo con Ramírez (Boyd), autorretrato parecido a Modigliani. Culeid caminando por Nueva York, Culeid comiendo hongos alucinógenos en casa de Benavides y así por el tema. Nos llama la atención un pequeño dibujo: Culeid envuelto con una banderota mexicana abrazado por Rivera y Siqueiros con un lema muy a lo Gráfica Popular. Es un dibujo Camp. Lo hice para *La Cultura de los mexicanos,* nos aclara. Por todo el suelo permanecen libros, tapetizan la sala, debemos pisarlos para poder llegar a los sillones. Sin duda es el resultado de tener las paredes con cuadros: no hay espacio para libreros.

Pone un disco del modernísimo compositor norteamericano Splart Young y la música electrónica sale por las bocinas que permanecen ocultas tras algunos cuadros.

Culeid a los treinta años es el pintor (mexicano) que con más frecuencia expone en Nueva York; Europa no le interesa. También es el mejor pagado, excepción hecha del maestro Tamayo, y es quien tiene en sus manos el hilo conductor que hará salir a la pintura nacional del retrasadísimo folklore implantado por la Escuela Mexicana de Pintura, con sucursales en la subdesarrollada América Latina.

Muchos han afirmado que la fama de Culeid es exclusivamente producto de la publicidad, de los ataques que ha hecho a los pintores consagrados. Lo han acusado de farsante e inflado. Culeid contesta diciendo: Mi talento no está en discusión. Lo respalda una obra genial a todas luces (valorada y reconocida por la crítica estadounidense) y, en última instancia, el artista puede y debe de hacerse publicidad y propaganda que repercuta en beneficio de su obra. Si el pue-

blo fuese culto, otra cosa muy distinta sería, indica Culeid.
Ha dividido en dos grupos a los pintores nacionales: los realistas en contra suya y a su favor los abstraccionistas. Los primeros han querido hasta lapidar su casa; los segundos sólo
quieren pintar igual que su joven maestro, no mejor, igual
o parecido.

El cisma ocurrido en la incipiente Escuela Mexicana de
Pintura con la separación tajante y definitiva de Rufino Tamayo, permitió a Culeid elaborar su teoría del reconocimiento real a los méritos efectivos y tangibles de cada pintor.
Por ejemplo, en Tamayo reconoce al iniciador auténtico de
una pintura mexicana de altura internacional (aunque le
molesten las repetidas y turísticas sandías del oaxaqueño).
Sabe que todo nacionalismo es una burla o un pretexto de
los mediocres. En Siqueiros, en Orozco y en Diego Rivera
conoce y acepta el engaño. El muralismo para Culeid es una
forma de plasmar la pobreza mental y de poner al descubierto, en pantalla panorámica, la ausencia de genio.

Para él, los Tres Grandes no tienen el tamaño que la gente
ignorante y la crítica oficial les concede. Son enanos igual
que Dalí (propagandistas baratos, panfletistas, los llama indignado). Sus estaturas sumadas apenas llegan a la mitad de
lo que mide Culeid.

Al principio, nosotros a decir verdad, teníamos desconfianza de su obra. Llegamos a presentarlo en nuestro programa de televisión con reservas, pero ahora nos atrae una
simpatía absoluta y definitiva hacia su pintura. Aprovechando la oportunidad de estar en su casa, le compramos, pre-

cio elevado como todo lo suyo, uno de sus mejores autorretratos: Culeid jugando tenis.

Cuando apareció el libro *Culeid por Culeid* la admiración aumentó, hasta algunos de sus detractores dieron el viraje de 360°. Las posiciones sustentadas por Culeid son sólidas e imbatibles.

Igual que Berriozábal en la literatura, Culeid en la pintura significa progreso, verdadera revolución artística.

Si lo acusan de atacar gratuitamente (o por razones publicitarias) a la escuela muralista, él contesta que sólo pone en su lugar a cada quien. Embadurnar muros, paredes, bóvedas, con la idea del trasnochado mensaje —ha dicho—, es pura propaganda socializante, es hacer panfletos y no precisamente pintura. Los mensajes, como asegura Nabokov, son para los telegrafistas.

El enfant terrible de la plástica mexicana ha llegado a tener una fama desmesurada. Lo atacan y lo elogian. Y sus cuadros aumentan de precio a cada hora que transcurre. Los periodistas buscan ansiosamente sus declaraciones. En los últimos tiempos, a ningún pintor de treinta años le habían robado sus cuadros ni falsificado su estilo. Varios culeids fueron sustraídos de las galerías *Lermes* en Los Angeles; aquí, varios pintores religiosos se enriquecieron falsificando quince autorretratos de Culeid.

Si es cierto que Culeid ha iniciado la guerra contra los mitos que agobian a la pintura mexicana, no es menos cierto que él, al lado de Ruperto Berriozábal, combate al nacionalismo chovinista.

En la actualidad, la Revolución Mexicana, expresada en la pintura, como señaló Riveroll, no es Siqueiros, es Culeid.

LA FAMILIA de Boyd Ramírez descubrió muy pronto la vocación de su hijo mayor. El niño se pasaba las horas pintarrajeando cuadernos y paredes (prefería los primeros: clara idea de su afición al caballete). Y como en esa época Diego Rivera pintaba en el Palacio Nacional, cerca del despacho del padre de Boyd (Secretaría Privada del Ciudadano Presidente de la República Mexicana) y ganaba dinero oficial a pasto, el señor secretario presidencial no objetó sino ayudó —junto con la familia que veía en él un posible Miguel Ángel decorando la Catedral Metropolitana— a que su hijo encaminara sus titubeantes pasos a San Carlos.

Una vez en San Carlos, Boyd Ramírez se alejó de los figurativos, de los seguidores del muralismo y estableció estrecha amistad con Culeid. Juntos firmaron los primeros manifiestos contra Rivera, Orozco y Siqueiros. Juntos establecieron nuevas formas para la creación abstracta, puramente formal. Juntos recibieron los primeros cheques, producto de su arte.

A LA INVITACIÓN que los Estudiantes Cultos Unificados de Provincia le hicieron a Rolando Bespis (gastos pagados, incluyendo los de aquellas personas que deseara llevar), para dar una conferencia, éste dijo que en principio estaba de acuerdo con ir a Punto Fijado, pero que no daría una conferencia, sino leería los primeros doscientos poemas de su nuevo libro, aún sin título. La felicidad de los Cultos Unificados de Provincia no reconoció barreras. Le dijeron entonces, que al concluir la sesión-lectura, la mejor sociedad del lugar daría una cena en su honor. Bespis respondió que gratis hasta puñaladas, queriendo burlarse de Provincianos del Mundo Uníos, pero ellos ni cuenta se dieron de la sutileza bespisiana. Rolando llevó a su esposa y a dos amigos. Partieron rumbo a Señalado Lugar. En realidad Rolando deseaba abrirse mercado en Santa Provincia e intentar el advenimiento de sus terceras y cuartas ediciones.

Al llegar fueron recibidos apoteóticamente por las multitudes estudiosas y por los intelectuales (varios de ellos, como generales victoriosos en mil batallas de escritorio, ostentaban sus Flores de Plata en el pecho o la solapa). Una priística manta en la terminal de camiones: Bienvenido Rolando Bespis, poeta del mundo, tus admiradores provincianos te saludan. Rolando, sin emociones en su feo rostro, saludó como el presidente en turno. Sin embargo, se conmovió ante las muestras de veneración (recordó las referencias de Riveroll y Cafarel que anteriormente habían viajado a Provincia Linda). No así su esposa, quien detestaba a los provincianos desde su salida y emancipación de Guadalajara la Grande. Ella le había advertido que los iba a escandalizar tal como Fellini escandalizara a las buenas conciencias en *La dolce vida*. Su marido sonrió benévolo; adoraba el esnobismo magistral de la inspiradora de sus libros.

Después de la lectura —desde luego, un éxito rotundo—, partieron al casino de Provincia Bronceada. La mejor sociedad (la High) aguardaba impaciente el momento de estrechar la mano del gran escritor que los visitaba. Rolando, esposa y amigos entraron, guiados por los directivos de Cultura Provinciana de la Juventud Intelectual, se pararon en el centro del casino, esperando a que acabaran los aplausos y las dianas. Después se dirigieron al sitio de honor que les correspondía, pero antes de llegar, y para sorpresa, la esposa de Rolando recorrió a todos con el dedo: ¿Esto es la alta sociedad de aquí? Jua, jua, jua, jua. Sin permitir que cundiera la alarma entre las filas aristocráticas pueblerinas, se sentó sobre la mesa, se levantó la minifalda para estar cómoda y con unas enormes tijeras, previo descalzamiento, comenzó a cortarse las uñas de los pies, aparatosamente. Por supuesto tenía planeada la puntada desde que surgió la invitación: no iba a desaprovecharla por razones de falsa cortesía burguesa.

Regresaron al D.F.

Un día, por conductos extraños, Rolando recibió la noticia de que los Jóvenes Más Cultos de la Provincia Unificada habían decidido, por diversas dificultades, separarse y formar agrupaciones deportivas cada quien por su lado. De la cultura no quieren saber nada en Quéchulaeslaprovincia, menos de los literatos jóvenes, añadieron los conductos que tenía al frente Rolando Bespis.

MARTA INVENTA varios pasos que al momento pone en práctica; Pedro Guía le advierte que son un fusil de Mick

Jagger, pero sin talento. Ella le saca la lengua y prosigue en el plagio.

> LOS INTELECTUALES DE MÉXICO
> BEBEN BACARDÍ.

Como el cóctel fue patrocinado por la compañía ronera Bacardí, metieron los letreros: uno sobre la puerta del Club de Periodistas Honestos, otro en la sala destinada a la recepción-homenaje a Günter Grass, el extraordinario escritor germanoccidental. El acto fue organizado por las dos únicas asociaciones literarias existentes en México, claro, de importancia: la Comunidad Nacional de Escribanos y la Agrupación Mundial de Escritores Mexicanos. Para ahorrar dinero e invertirlo en las ediciones de sus afiliados, ambas organizaciones recurrieron a la citada compañía productora del atroz roncito capaz de asesinar al estómago más recio por medio de una deplorable úlcera superveloz.

Aparte del ron (en cantidades navegables), habría varios discursos de agradecimiento a Grass por haberse dignado visitar las calles de la región más transparente del aire.

La cita se fijó para las diecinueve horas. No desconociéndose el hecho de que se considera de buen tono llegar una o dos horas retrasado, Grass fue citado a las nueve de la noche.

Los fotógrafos y los periodistas fueron alertados. La intelectualidad notable quedó invitada en su totalidad, como si estuviéramos en época de Ruiz Cortines: con sobres lacrados.

A las ocho pasado meridiano los invitados iniciaron la llegada, antes no. Algunos para hacer tiempo fueron a tomar un trago al Muralto. Los que no traían dinero dieron muchas vueltas a la manzana.

A las nueve, Grass no había llegado, pero sí los intelectuales nativos sin faltar uno, excepción hecha de Ruperto Berriozábal que se hallaba en Europa con su esposa (una sutil mezcla del mago Merlín con un anuncio de productos de belleza Elizabeth Arden). La mayoría de los artistas (incluyendo a los verdaderamente ancianos: de cuarenta para arriba) transportaban dos cosas: 1: el deseo de mostrar a Günter Grass su elevado grado de talento y 2: los libros del alemán para que los autografiara.

El Bacardí corría abundantemente por las laringes de los cultos invitados y un tema ocupaba las conversaciones: Grass y su obra. Los meseros, con el lema de los cartelones en espaldas y mangas se movían llevando charolas repletas de vasos llenos de licor por entre la compacta aglomeración.

Como de costumbre, las diferencias de edad se notaban desmesuradamente en la forma de vestir: traje con olor a naftalina y vestido de noche y pieles (recién sacadas de la Tintorería Francesa, etiquetas visibles así lo indicaban), los viejos; suéter, chamarras, pantalón vaquero, tenis, los jóvenes. Unos exageraron (creo que eran Parménides García Saldaña, José Agustín, Gerardo de la Torre y René Avilés, los que trabajan el terror intelectual; ya han planchado a varios escritores) y traían puestas sudaderas negras (muy sudaditas) que señalaban al frente, con letras mayúsculas: University of Lecumberri.

Culeid dijo a Ochoa que no sería difícil que interrumpiera su serie de autorretratos para pintar un perfil de Grass.

Muchos, los más, con la pluma en la mano, lista para la dedicatoria que les iba a poner (seguramente) el germano, suspiraban porque alguien les pidiera a ellos su firma.

Al fin apareció el señor Grass (22:30) y todos los problemas se acentuaron. La señorita que cuidaba la puerta, como el alemán no presentaba su invitación, no le permitía entrar en la sala donde se estaba bebiendo a su salud. Incluso solicitó a los guardianes que lo retiraran para que no estuviera molestando. Dijo: Estos extranjeros siempre quieren entrar en todas partes. Varios curiosos miraban indiferentes el espectáculo. Grass intentó comunicarse con las personas que le rodeaban; nada; ninguno hablaba alemán ni francés ni inglés. De inmediato comprendió la importancia del español.

Estaba a punto de largarse —desesperado por los jalones que le propinaba la celosa cuidadora y los guardianes cuando llegó Arica (uno de los organizadores), quien sólo hablaba el propio idioma, pero que conocía a Grass por unas fotografías publicadas en *Life*. Por fin pudo entrar, luego de que Arica le explicó a la señorita que se trataba del homenajeado.

Tómale la foto. Ya llegó. Ahí entra. Sí, es él. Vamos hacia donde se paró. Vente rápido. Apúrate. Tráete el trago. Ya está aquí.

Un eficaz mesero surtió al escritor-invitado-de-honor un Bacardí con cola. Grass lo vio, lo olfateó, lo paladeó. Para evitarse nuevas dificultades lo comenzó a beber con cautela no exenta de discreción. Pronto los escritores-paisanos formaron un gran círculo alrededor del germano, deseaban hablarle, oírlo. Lo acosaban a preguntas, le platicaban de cuestiones culturales, lo interrogaban, lo ponían al tanto de lo que sucedía en México: él veía aterrado a cada una de las caras horribles que lo rodeaban y por vez primera surgió aquí el tan largamente esperado problema de la incomunicación.

Para fortuna de todos (nadie hablaba ya), Ochoa y Arica, con la ayuda del doctor Monterde, se impusieron y el círculo derivó en una típica cola para la leche o las tortillas, la diferencia era que sustituyendo la bolsa y el bote, los formantes llevaban libros: la búsqueda de autógrafos extranjeros se iniciaría pronto. Como la discreción no es cualidad nuestra, los escritores desenvolvían los libros recién comprados y tiraban los papeles. Los más disciplinados y cultos aún permanecían en rincones de la sala o del baño, hojeando *El tambor de hojalata* y *El gato y el ratón* (*Años de perro* sólo lo había en inglés) y leyendo rápidamente en algunas revistas quién era el autor, dónde había nacido, cuáles eran sus aficiones culturales, qué hacía.

Günter con paciencia firmaba los libros que le eran presentados. Muchos de ellos decían: Con cariño para mi gran amigo, el genial escritor mexicano don Culto Pérez, y en blanco el lugar de la firma.

De repente Grass (Cuatito, como lo estaban llamando) vio a Ochoa y en el lenguaje universal de las señas (único que manejan los nacionales aparte del español) le suplicó que lo sacara de ahí: dijo que ya no podía firmar otra vez. Ochoa, antes de acceder, hizo que le dedicara *El gato y el ratón* y, sin miramientos, le entregó al alemán un ejemplar de su exclusivo y solitario libro: *Breves historias rurales*. Acto seguido rescató a Grass para llevárselo a beber tequila y oír mariachis, allá en Garibaldi, plaza que ingenuamente lleva el nombre del italiano.

Al día siguiente Grass, padeciendo agudo dolor de cabeza, grave crisis nerviosa, complicaciones estomacales, tomó el primer avión que partía a Alemania, con las saludables ganas de borrar (no es imagen) a México del mapa.

Los periodistas nada dijeron de Grass; como ignoraban quién era, tampoco asistieron al cóctel.

Cierto que las ventas de los libros crecieron, que se logró un buen incremento en sus regalías, pero no se pudo aumentar el número de lectores de Günter Grass en el país.

[EN EL CÓCTEL nadie advirtió la ausencia del personaje, los intelectuales se quedaron hasta agotar el Bacardí. Ya en la onda, Gerardo de la Torre, José Agustín, René Avilés y Parménides García Saldaña rifaron el vaso donde había bebido Günter Grass. La rifa fue sin fines de lucro, a beneficio del Instituto Nacional de Protección a la Infancia (órgano oficial que alimenta niñitos paupérrimos que no lo sean tanto como para no pagar lo que vale el desayunito al mayoreo). El boletaje se agotó, todos deseaban poseer el vaso con restos de licor barato que usó Grass. Y, como en las cantinas,

¡el número nueve, el número siete, el número cinco y sólo quedó el número dos! ¡El dos gana el vaso donde bebió el maestro de maestros de la literatura alemana! Aplausos. Vivas. Fue ganado por Cafarel; seguro lo venderá. Aplausos. Los meseros comenzaron a repartir el ambigú selectísimo que le habían reservado al germano y que para su fortuna no pudo probar: tacos de champiñones, enchiladas holandesas al carbón, sopes de nido de golondrina en chile verde, chicharrón a la orange y nenepil en salsa tártara rebosado en machitos. ¿Y de beber qué? Pulque. Porque es nutritivo, es sabroso y es mexicano.]

CONFRONTACIONES PICTÓRICAS. Bajo tal nombre, Bellas Artes organizó la primera exposición colectiva de pintores mexicanos.

Poco antes hubo un concurso semejante, de menor magnitud, patrocinado por la Standard Oil Co., cuya sede se halla en Texas. Se trataba de seleccionar a los tres pintores jóvenes de mayor calidad. Culeid no participó en esa ocasión; había ganado en la Bienal Brasileña y ahora rechazaba la oportunidad de obtener unos dólares. De hecho cedía el premio a su bueno e inseparable Boyd. Fuera el autor de los autorretratos, las esperanzas de Boyd se podían palpar. Pero él necesitaba la seguridad total. Y ya no hubo ningún problema cuando supo la designación de su hermano menor como jurado del evento. Los otros dos nombrados por la propia Standard Oil igualmente resultaron parientes (lejanos, pero familiares). El ganador —junto con el segundo y tercer lugares— iría a exponer a la Trienal de Washington, organizada por la CIA para seleccionar a los mejores pintores latinoamericanos. Aparte, había dólares de por medio.

El escándalo se produjo al darse a conocer el resultado de las deliberaciones —muy breves— del HH Jurado. (La exposición fue poco visitada). Por unanimidad Boyd Ramírez ganaba el premio mayor con su cuadro *Infinito es el cosmos como infinita es la cultura*. Su extraordinaria composición de formas y la combinación sutil de ocres, verdes y rojos, lo hicieron acreedor al triunfo, rezaba el fallo escrito.

Entonces los demás concursantes hicieron una bronca fenomenal. Hubo heridos y toda la cosa. Cuadrazos por aquí, brochazos por allá (armas preferidas por los pintores). Culeid, Boyd y sus familiares, el director del INBA, José Luis Martínez, y el representante de la Standard Oil salieron por piernas abandonando el cuadro premiado. El suceso dio comienzo a una feroz guerra entre pintores. Los bandos quedaron perfectamente delimitados: abstractos y realistas.

Al día siguiente de la trifulca, Boyd supo que el cuadro salió indemne por milagro: alguien robó el marco dorado pero no la tela.

Entrevistado el hermano de Boyd, dijo a *El Heraldo*, explicando por qué votó por el cuadro *Infinito es el cosmos como infinita es la cultura*: Yo no soy Caín. El cuadro de mi hermano era el mejor sin lugar a suspicacias. Es como si Van Gogh Grande hubiera votado contra Van Gogh Chico o al revés. Si un cuadro vale, hay que votar por él a pesar de que el autor sea nuestro padre. Repito: No soy Caín. Quiero a mi hermano y sus cuadros me parecen geniales. Casi tan buenos como los de Culeid.

Como las declaraciones no dejaron satisfecho a nadie, la polémica se ha perpetuado hasta nuestras horas.

En cambio, se sospechaba que ahora Culeid sí participaría en Confrontaciones Pictóricas. El premio era tentador. Y tal vez deseaba, por otra parte, refrendar lauros: no dejar a nadie la duda sobre quién era el número uno de la pintura.

La organización fue mejor esta vez (amargas experiencias, léanse chichones, dejaron los cuadrazos en la cabeza del director del INBA). Se trabajó febrilmente para prever hasta los detalles mínimos, enanos. En principio se pensó que deberían concursar todos los pintores cualquiera que fuese su edad; único requisito: talento. Pero Boyd temió que la participación de artistas como Siqueiros y Culeid podría dirigir el oro del premio a otros rumbos y tuvo que confabularse con su familia y otros pintores para deslizar una tenebra que rindiera buenos frutos: obligar a los organizadores de Confrontaciones Pictóricas a crear un Salón de la Fama para los consagrados, los que, entonces, tendrían que dejar el premio para pintores noveles. Buena y hábil maniobra para asegurar mil dólares en moneda nacional.

Culeid protestó (él fue uno de los primeros incorporados en dicho Salón) y todos los periódicos recogieron sus declaraciones. Amenazó con abandonar el país para siempre; se expatriaría voluntariamente. Sin embargo, Culeid tu-

vo que exponer en el Salón de los Famosones, al lado de uno
de sus más odiados rivales: Siqueiros, quien no dijo ni pío.
Culeid se puso más furioso: No es justo. Los Ramírez tienen chorrales de lana. Me dejaron sin posibilidades de reno-
var mi guardarropa, de surtirme de nuevo. El precio que se
paga a la fama. No es tan bueno, a veces, ser un consagrado.
Pobre: en Los Ángeles había visto unas chamarras de gamu-
za bien bonitas, sólo que caras.

Como era lógico, un cuadro de Boyd (*Cosmovisión final
del Universo con toques pops*) obtuvo el primer premio. Para
asegurarse mejor, mandó treinta cuadros al concurso-expo-
sición.

Todo quedó así:

unos amordazados por la consagración, los buenos,

un triunfador dudoso

y los pintores mediocres enfurecidos

(de nuevo pierde la temática folk, qué lástima, es tan útil:
un cuadrito de paisaje campirano con sólo ponerle los meses abajo queda un bonito calendario),

¿enfurecidos?, enfurecidos es poco. Andaban que se los
cargaba la chingada; intentaron derribar Bellas Artes (buen
favor nos hubieran hecho), pidieron armas y quisieron lin-
char al pobre y sufrido director. Como supusieron que detrás
de esto andaba la mano enchapopotada del representante de
la Standard Oil, se lanzaron corriendo hasta la fuente de pe-
tróleos, la que conmemora la Expropiación, y arrojaron sus
cuadros al agua —qué pinche simbolismo— gritando hurras

y vivas al general Cárdenas y mueras e insultos a la compañía extranjera.

Al enterarse cómo estuvo la transa, Culeid odió con furia africana a los Ramírez, jurando no volver a dirigirles la palabra ni invitarlos a sus fiestas. Para resarcirse de sus heridas se largó a Nueva York a exponer él solito.

Berriozábal camina por su extensa biblioteca. Curiosea sus libros, saca folletos, los hojea innecesariamente: todo lo tiene en la memoria. Le falta, para concluir su largo ensayo sobre *Los mitos de la Revolución Mexicana,* un pequeño capítulo. Lo está meditando. Es extraño que se detenga. Su paseo dura pocos minutos, dos o tres, quizás uno. Las secretarias lo observan en riguroso silencio. Regresa a su escritorio, hace a un lado las montañas de papeles y libros, ve los retratos: Poe, Faulkner, James. Él conecta la máquina de escribir y comienza el capitulillo (que debería redondear tanto al ensayo como a una serie de teorías sobre política nacional).

Existe una ritualización en la política mexicana que todo intelectual debe conocer, escribe. No es posible concebir a un movimiento político sin ritos; toda política implica una ritualización. Los ritos aunque lógicos no ocultan sus orígenes místicos, religiosos. Esto responde a las necesidades de la clase gobernante, a necesidades de afianzamiento. Podríamos llamarla política del poder ritualizada.

En México, derivados de la Revolución, han surgido multitud de ritos políticos. Aparecen sin razón lógica. Sin embargo, en la medida en que se fijan y extienden, se descubre que todos tienen el objeto de concentrar la atención de los ciudadanos en cosas que los distraigan, que les quiten la mirada de los problemas reales e inmediatos que padece el país. A la larga van a enraizar. De igual manera la Iglesia fija la mente del fiel, del creyente, con otros motivos no totalmente diferentes, en la imagen de una deidad todopoderosa. Estos procesos siempre pretenden conservar el status quo, el orden actual y sirven para alejar al supuesto fantasma del comunismo (tal y como lo entienden las respectivas propagandas).

Aquí el rito laico se emplea para ocultar el subdesarrollo, el atraso del país, su pobreza, su democracia de cartón. Me explico. Año tras año el Presidente, monarca sexenal, en medio de toda una liturgia, reparte títulos de propiedad a familias campesinas. Lo mismo sucede cada vez que el candidato está a punto de descubrir cuáles son los goces efectivos del contacto con la silla presidencial: promete terminar en plazo perentorio la Reforma Agraria (que si no es integral no es reforma) y cada vez que puede reparte tierras y parcela latifundios. ¿A qué se debe? He comenzado con el ejemplo agrario porque es el más dramático y sin duda el que mejor se palpa. La Reforma Agraria Integral, puede llevarse a cabo en pocos años, como se ha demostrado en países de diferentes latitudes. No obstante que la nuestra comenzó de hecho con los repartos que efectuó Lucio Blanco en 1914, se sigue y se seguirá haciendo hasta el infinito. Pueden funcionar dos criterios: uno positivo, otro negativo. Por el primero habría que pensar, partiendo de la ritualización, que es imprescindible repartir tierras para que la población campesina, mayoritaria por supuesto, tenga a qué rendirle culto: a la Reforma Agraria, en espera del milagro solicitado desde generaciones antes: El pedazo de tierra. Es, dicho en otra forma, el sacrificio de la misa. El criterio negativo contesta a la realidad del país: la Reforma Agraria es un círculo vicioso gobierno-reparto-campesino-gobierno, en el que la oligarquía gobernante entrega la tierra y ella, bumerang trágico, regresa a sus manos después de dejar satisfecha a la opinión pública. (Parece que la oligarquía no entiende que para sus propios fines capitalistas debe concluir la Reforma Agraria.) En este caso el rito se convierte en especulación con la miseria del campesino ignorante que sigue creyendo en la infalibilidad de su Presidente, a pesar de todo. Supongo que de cualquier modo entre ambos criterios existe una estrecha ligazón litúrgica que bien mezclada permite la enajenación absoluta del mexicano.

En menor escala y dentro de una rigurosa y ordenada jerarquización de valores, siguen presentándose los ritos nacionales: el Presidente, con solemnidad religiosa, inicia la nueva fase de la campaña de alfabetización, cada vez con mayor fastuosidad y recurriendo a medios científicos y técnicos, que hacen suponer a la mente mágica del ciudadano en una renovación. Se reúnen los sacerdotes mayores y los menores y echan a andar de nuevo a ese Lázaro redivivo que creó el papa Ávila Camacho.

Los santos laicos —héroes nacionales— (¿no le pusieron así a Santos Degollado?) son elevados descomunalmente y les son erigidos templos y monumentos y sus nombres se ponen en las catedrales con letras de oro. La Biblia es la Constitución y cada funcionario-sacerdote la cita, la lee y la relee. Los niños son llevados, como en la doctrina, a rezar dentro de los museos históricos y en los recintos conmemorativos. El discurso oficial se transforma en sermón y ambos piden lo mismo: lealtad. El diezmo hay que entregarlo por medio del impuesto. Como en el catolicismo, existen castigos (excomuniones y anatemas: disolución social) para los ateos, los blasfemos, los irreverentes y los descreídos. ¿Qué diferencias hay en el fondo entre una manifestación díazordacista y una peregrinación a la Basílica de Guadalupe? Los dos grupos, que suelen ser los mismos, esperan obtener un milagro. Y en todo caso, cada mexicano es partícipe inconsciente de dos religiones: la católica y la laica: la política ritualizada.

Los jóvenes reciben de manos de un sacerdote-funcionario la camiseta tricolor como el creyente recibe la comunión. El ciudadano es llevado a la entrega de credenciales —al monumento a la Revolución, templo mayor— de su religión laica, estatal: la priísta, dueña de escrituras dogmáticas y de verdades absolutas y de validez universal, así, de la misma manera, el arzobispo confirma y reparte bendiciones en la Catedral. No hay diferencias entre la explicación del nacimiento de Jesús y la duda sobre la pureza incontaminada de la Revolución Mexicana. Una y otra son dogmas.

La semejanza con el catolicismo no es fortuita, sino necesaria: esta doctrina religiosa amén de ser mayoritaria e intolerante en nuestro país, ha condicionado la mente del nacional, preparándola para el advenimiento de la doctrina laica, estatal, que en rigor no choca con sus intereses: bien analizadas se complementan.

La entrega de los espadines a los cadetes es semejante a la hostia salvadora: una salva la patria y preserva a ese espíritu llamado idiosincrasia nacional; otra salva el alma. No veo diferencias entre el Día de la Lealtad, el día de la muerte de Obregón y el festejo de una fecha religiosa ¿No es acaso el nacionalismo patriotero y exaltado que predican los santones del gobierno una forma abyecta del dogmatismo más maniqueo que pueda existir y que sólo se ha dado en las religiones, en especial en la católica? La Revolución Mexicana creció solita, sin la ayuda de nada ni de nadie. Sin ideas extranjerizantes, exóticas. México no toma nada, todo lo inventa, lo crea, lo saca del vacío, igual que la creación fue sacada de la manga de la sotana de Dios. En estos ejemplos existe una negación nada dialéctica de las leyes universales de la naturaleza y de los procesos históricos y científicos.

El papa es el presidente (para su desgracia es un papa sexenal). La cappa magna cardenalicia la portan los ministros de Estado y los funcionarios menores son los arzobispos, los obispos, los monjes. Igual que en la religión católica, en la política mexicana la participación de la mujer es casi nula, insustancial.

Tocar a la virgen de Guadalupe o a la de Zapopan equivaldría a profanar la bandera tricolor o a cambiar el Himno a tiempo de jazz. El Presidente, el Señor Presidente es tan infalible como el papa. Negar un milagro de san Martín de Porres es idéntico que decir que el Pípila no fue héroe de dimensiones universales. Los niños de Fátima tienen, toda proporción guardada, los mismos méritos que los niños héroes. Y en todo caso, Juan Diego está en un altar de los católicos, como lo está Melchor Ocampo a causa de la exaltación oficial. Las imágenes religiosas se confunden con los retratos de funcionarios y héroes. La silla presidencial puede ser tan milagrosa como el agua del pocito de la Villa.

No es que niegue los valores de un Juárez o de un Zapata, sino que al estar en manos del gobierno deplorable que nos maneja, formando parte de una ritualización oficial, no puedo aceptarlos, al menos dentro de ese burocratismo.

Ruperto desconectó la Smith-Corona. Sonrió. Parándose despachó a las secretarias. En seguida buscó el teléfono y una copa. El teléfono para bebérselo y la copa para hablar con Benavides y leerle el ensayo.

SEÑOR PRESIDENTE:
He aquí el transformado Castillo de Chapultepec. Las obras de nuestros más grandes muralistas decoran sus paredes. La sala de la Independencia/ Lo de siempre. El orador escogido, su discurso artificial censurado previamente —¿era necesario?—, las docenas de funcionarios serviles y los cientos

de niñitos llevados por sus maestros (diez en civismo). La gloriosa Independencia, el heroico chispazo convertido en *llama flamígera* que es la epopeya de la Reforma, bla bla bla bla/ Los intelectuales, los pintores, los que le sirven al Estado no democrático sí burgués con su arte —¿arte?—, todos presentes sonriendo siempre. Vicente Guerrero traicionado por los conservadores nefastos/ Como dijo el visionario Lucas Alamán/ El verbo fogoso de los tribunos de la Reforma/ tres grandes cataclismos han sacudido a nuestro gran pueblo/ La audacia celestial de los hombres de la Revolución, la primera gran Revolución del siglo XX/ Usted, señor Presidente, que es el continuador de la obra de esos patriotas/ La sala de la Independencia está pintada por Juan O'Gorman con dinámicos rasgos llenos de vida y calor/ El maestro Diego Rivera no pudo iniciar su magna obra; O'Gorman fue/ México es el resultado de la fusión dramática de dos razas/ los pinceles y la paleta del pintor González Camarena/ la puerta fundida en bronce y en pasión mexicanista por Chávez Morado/ La Alhóndiga de Granaditas: trozo de historia plasmado en un muro gracias a su generosidad, señor Presidente, mecenas de la cultura/ que no se diga que los gobiernos revolucionarios no han fomentado y auspiciado la cultura/ Clemente Orozco exaltó las virtudes del indígena con su magistral/ En la carroza del Presidente Indio iban dos símbolos: uno en cada mano/ pintada por los pinceles mágicos de David Alfaro Siqueiros aparece la figura ígnea del precursor/factor de progreso siempre renovado, porque sin justicia social/ Señor Presidente: la autodeterminación de los pueblos y la no intervención/ Boliver nos ha dejado constancia de su fe en la Revolución con su obra maestra: La toma de Zacatecas/ genial guerrillero que todo lo dio por su país, como usted se entrega también/ que siempre luchó contra los hacendados, y los latifundistas al sonoro grito que aún se escucha gracias a las instituciones: Tierra y/ Madero el más grande visionario que la humanidad ha dado, hizo la Revolución antes que el propio Lenin/ una Revolución más justa y humana, basada en el respeto a la dignidad humana/ gracias a los pintores mexicanos/ los cadetes ejemplo para la juventud del mundo/ Movilidad en los muros gracias a las escenas patéticas de la huelga de Cananea del vigoroso Siquei/Camarena y sus geniales pinceladas rinden homenaje a nuestro Constitución, la más avanzada del mundo/ bla bla bla bla bla bla bla bla bla/ el amor ilimitado por México antes que otra cosa /señor Presidente/ Usted/ México da un ejemplo al mundo/ su obra revolucionaria/ la democracia/ Lo dijo el secretario de Estado norteamericano/ la libertad, el culto a los próceres/ el único camino/ no hay más rata que la nuestra/ el primer mexicano/ señor Presidente, nuestros pintores/

Todo salió muy bien. El Presidente aplaudió entusiasmado, muy contento. Lo vieron. Sí, mañana es la audiencia. Su secretario privado nos avisó que a las once nos recibirá/

[Así es: en México hay intelectuales que pertenecen a una especie de iniciativa privada que exigen que el Estado no intervenga en sus asuntos. Su grito de guerra, como el de los fisiócratas, es laisser faire, laisser passer. También existen intelectuales que pugnan por la intervención estatal en la cultura. El Estado debe dirigir a los escritores, a los pintores, a los artistas. Debe regular las actividades culturales, afirman. En serio. Parece que ambos sectores se odian a muerte, dan la idea de ser grupos antagónicos. Se propinan los peores insultos. En el fondo, creo, no se odian tanto. Forman parte de un todo compacto, indisoluble. ¿En cuestiones de dinero? Hay suficiente para todos. Claro que los intervencionistas lo aceptan: ¿no debe el Estado ayudar al desarrollo cultural sin entorpecerlo para nada? Teóricamente unos son los retardatarios, los reaccionarios; otros, también en forma hipotética, son los progresistas, los revolucionarios. Y como en las ondas económicas, se unen y ambos grupos ayudan conjuntamente al mejor desenvolvimiento cultural del gran pueblo mexicano. Todos juntos, todos contentos.]

Kennedy tuvo un recibimiento conmovedor. La gente entusiasmada vino de varias partes de la República a verlo, a saludarlo.

—Bueno, son los descendientes de aquéllos que cada dos años solicitan la presencia del general Santa Anna; de los que se pusieron de luto con la derrota de los franceses en el cinco de mayo; de los queretanos que apoyaron a los imperialistas…

—Pero también había otros, los que pelearon contra Santa Anna y los que derrotaron a los franceses.

—Estos, lamentablemente, tuvieron poca descendencia y esa poca se ha ido diluyendo en la historia hasta no quedar sino unos cuantos.

Lo sensacional fue cuando vino Johnson. Mientras el pobre viejo Russell y Sartre pedían que se le juzgara como criminal de guerra y se sucedían las violaciones en Dominicana, Panamá, Cuba, se intensificaba la escalada en Vietnam. Mientras todo eso pasaba, el pueblo mexicano vitoreaba a Johnson. Yo escribí un relato/

De 6 a 7: Los camiones comenzaron a llegar al Zócalo. En seguida la gente bajó y sin ruido fue esparciéndose por la Plaza. Quienes traían cigarros fumaban; los que no, arrojaban el vaho que iba directamente a confundirse con la neblina.

De 9 a 9:30: Todo resultó como se había previsto. El avión aterrizó puntualmente. El mandatario extranjero descendió con majestuosidad, y caminando sobre un largo pasillo rojo llegó hasta la tarima, donde lo aguardaba el mandatario local. En el acto una salva, y como corolario se oyeron los himnos de ambos países. Primero habló el presidente anfitrión (de la ayuda económica, política y técnica que esperaba recibir, etc., etc.) y después lo hizo el huésped (de la ayuda económica, política y técnica que venía a dar, etc., etc.). Al concluir se abrazaron fraternales, visiblemente emocionados, en medio de una pertinaz lluvia de pétalos de rosa. Luego pasaron revista a las tropas. En el automóvil descubierto iban sonrientes, saludando al pueblo, convertido en dos largas hileras que sólo sabían vitorear.

En tanto. La Plaza de la Constitución era un grabado alemán de 1939 (nada más que en lugar de gorras militares aquí se veían sombreros de petate por todos lados). Una enorme concentración aguardaba pacientemente. El cielo que poco antes había mostrado hostilidades lluviosas, ahora era transparente, nítido, y dejaba que los rayos solares se estrellaran contra el suelo, contra las personas, contra los edificios. Bandas musicales tocaban lo que les venía en gana: pero ninguna imitaba a otra, ninguna tocaba la misma marcha. Contingentes militares en perfecta formación. Los magnavoces emitían las noticias del arribo, de la salutación de los jefes de Estado, de los discursos; a modo de anticipo, describían a los visitantes (presidente, esposa, hijas y comitiva) y daban farragosas citas comunes sobre la amistad entre los pueblos vecinos. Sin poder ocultar su pavorosa presencia, los agentes secretos miraban vigilantes de un lugar a otro, husmeando. Como nadie trabajó aquel día, todo el De Efe se iba concentrando en la Plaza (la mayor del mundo: caben más mexicanos en ella que rusos en la Plaza Roja o católicos en San Pedro), con rapidez.

De 9:30 a 10: El automóvil hizo su aparición, como suele decirse, en forma triunfal: docenas de motociclistas lo escoltaban. Tras él la muchedumbre corría, intentando ver de cerca al visitante, que a semejanza de su colega aún conservaba la amplia sonrisa. La multitud deliraba; la Plaza era el asiento de un coro gigantesco, ruidosamente feroz. Desde arriba no se podía ver el gris asfalto. El cansancio y el sol obligaban a los ambulantes de la Cruz Roja a trabajar extra: con razón una mujer desmayada por ahí, un deportista —agotado de repetir ejercicios— por allá. El confeti caía, formando una espesa neblina multicolor.

Música. Aplausos. Gritos. Vivas. Regocijo. Órdenes militares. Oficiales ridículos como juguetes mal hechos. Banderas de los dos países en los edificios y en los postes y en las manos de los hombres y de las mujeres y de los niños. Cámaras de televisión cumpliendo con sus obligaciones. Sirenas. Porras. Silbatos. Locutores gesticulantes. Cohetes. Tambores. Campanas al vuelo. Y más.

Los presidentes, ya en el balcón, saludaron al pueblo, efusivos, aunque muy poco tiempo.

De 10 a 13: El balcón se cerró. En las puertas del Palacio Nacional los guardias impidieron el paso a los que carecían de invitación a la ceremonia oficial y nada más pasaban coches oscuros que transportaban a altos funcionarios burocráticos y a ejecutivos de la banca y la iniciativa privada. Los cadetes de uniformes vistosos sustituyeron a los soldados. La música se suavizó, se hizo bailable. Los meseros —compitiendo en elegancia y distinción con los invitados— empezaron a distribuir viandas y licores importados para el solemne acto. Y ajena a ese suceso íntimo, la turba desaparecía con la rapidez propia de la gran ciudad.

El bullicio cesó en la Plaza, que al momento era una extensión desolada. Sin gente se veía modesta, humilde. Acaso quedaban unos cuantos policías atrás de los portales. Y los severos agentes secretos, disgustados por no tener a quien vigilar, se iban: otras tareas les aguardaban. Arriba: la celebración estaba en su apogeo. Abajo: un par de hombres, mirando para todos lados, no se movían de ahí. Los policías caminaron rumbo a las salidas.

La Plaza, sin tomar en cuenta a los dos hombres ni a los guardias del Palacio (que no tenían otra misión que proteger las puertas), se hallaba casi desierta. Ocasionalmente la cruzaba alguien o algo: una persona, un camión. Pero era por momentos. Incluso las mantas y las pancartas —cuyas faltas de ortografía tanto disgusto habían provocado en el ministro de Educación— desaparecieron por allí. No lejos, se acercaban los barrenderos: al concluir la recepción la Plaza tenía que estar limpia, pues nuevamente la iban a cruzar el huésped ilustre y su generoso anfitrión.

—No tardan en llegar los barrenderos, apúrate —dijo uno de los hombres que quedaba en la Plaza.

No hubo respuesta. Ya los dos, en cuclillas, recogían con habilidad desusada el confeti regado por el suelo, que paraba adentro de unos costales harineros.

—Nos fue muy bien, cada vez hacen más grande el confeti.

—Los colores siempre son los mismos: verde, blanco y colorado.

—Ojalá el camión de regreso nos espere.

—Que importa; que se largue. Primero llenamos los costales. Ahora sí vamos a sacar centavos en el pueblo, con la fiesta de la iglesia encima nos van a comprar toditito el confeti a buen precio, igual que en las otras veces.

FUE UNA casa editorial hispanoamericana la que contrató a Culeid para que ilustrara varios libros clásicos: *La divina comedia, El paraíso perdido* y, claro, *Don Quijote*. Así como los intelectuales avanzados (y amigos de Culeid) lo festejaron, los sectores de la cultura más conservadores elevaron airadas protestas. Cómo un pintor moderno puede ilustrar clásicos, alegaban, es un sacrilegio; los va a llenar de monotes y manchas. Culeid con su habitual sangre helada y su audacia respondió sarcástico: Esto nada más reafirma la validez de los clásicos, su vigencia actual. Para un lector de esta mitad del siglo es preferible un libro ilustrado por mí que otro ilustrado por Doré. Yo le comunico mejor las intenciones del autor. Añadió igualmente burlón: Que por otra parte, no he visto cosa más siniestra que las ilustraciones de Dalí al *Quijote*. Eso es lo que deberían impedir los viejitos retrógrados: las tomaduras de pelo.

Las ilustraciones significaron la consagración definitiva de Culeid. Su internacionalización, y con ella la de la pintura mexicana, quiéranlo o no los mexicanos tarados. Simultáneamente Culeid se transformó en blanco definitivo de los ataques; ataques por todas partes, hasta intentos de agresiones físicas; habrase visto: qué de envidiosos.

Una editorial autóctona, sin perder el tiempo, plagió la idea e hizo una colección de clásicos mexicanos, solicitando los servicios de tres o cuatro figurativos de genio —¿genio?— para dibujar los nopales, los magueyes, los charros y todo lo alusivo a la temática de tales obras. A su vez, una de las editoriales de mayor importancia en los EUA, nada folklórica, vislumbró la posibilidad de que Culeid ilustrara las obras completas de Ruperto Berriozábal, el único mexicano de producción considerable, capaz de convertirse en clásico en poquito tiempo y aún en vida.

Breques: ya es hora que concluyas tu libro sobre los orígenes, antecedentes y consecuencias de James Bond. Has analizado con cuidado miles de libros y revistas, incluso fuiste a Inglaterra a estudiar los archivos personales de Ian Fleming. El material reunido para tu libro suma varios miles de cuartillas que ocupan las paredes de tu amplia recámara (para ti es más fácil leer de pie, por eso las hojas están pegadas con diúrex a los muros). El público mundial exige un libro de esa índole, no hay algo parecido, sólo las notas esporádicas de diversas publicaciones norteamericanas y cuyo acceso a las grandes masas es reducido.

Breques: tu tesis es correcta. Tus meditaciones de horas y horas frente a la televisión dieron frutos (o bulbos, como suele decirte tu hermana en tono de burla). También sirvieron las excursiones que realizaste con Alexandro al Aeropuerto Internacional de la Ciudad de México para leer cómics: las discusiones sobre esas lecturas no fueron estériles: hubo conocimientos que a primera vista pasan inadvertidos y se necesita ser un profundo lector de cómics para agarrar bien la onda. Las idas a librerías de viejo buscando libros y folletos que pudieran arrojar luz sobre las ideas que inspiran tu obra cumbre, cumbre de una science-fiction meditativa real, no fueron infructuosas. Sí, no se puede explicar a

James Bond sin la presencia de Doc Savage. El 007, visto científicamente, no nació por generación espontánea, es la suma de todos los héroes que ha tenido la humanidad. Y cayos antecedentes se remontan a mucho tiempo atrás. Su origen puede ser divino o real. De ser divino podría identificarse con el mismo Cristo, un héroe que todo lo entregó por salvar a sus semejantes (sus aventuras están narradas en la Biblia). Si es real puede ser un cromagnon rescatando a su dama de las garras de un pavoroso tiranosaurio.

Bond es un todo. Es un totalizador. Posee, de sus antecedentes inmediatos, la belleza selvática de Tarzán, la batinteligencia de Batman, la superfuerza de Supermán (ahora tan opacado el segundo por el primero, merced a la TV), el armamento de Flash Gordon, la generosidad de Robin Hood (o de Chucho el Roto, si se desea ser mexicanista), la destreza y el poder deductivo de Sherlock Holmes, la simpatía del ratón Mickey y la fiereza y la violencia que puede encontrarse en cualquier ser humano de cualquier época.

Para ti, Breques, James Bond es la revitalización del héroe que ya había caído en el desprestigio, ¿acaso los nuevos escritores no se empeñan en crear aburridos antihéroes? Sigue, Breques, vas bien. Muy bien. Publica tu libro. La gente lo espera. Ansiosamente.

La presencia de los intelectuales junto a las grandes luminarias cinematográficas es indispensable, sostienen los primeros. Sucede en Europa, por qué no en México.

Así que

llegan a Acapulco y se alojan en el Presidente (al fin que los gastos corren por cuenta de Cinematografía).

La Reseña comienza mañana y ustedes tienen apenas el tiempo necesario; poseen unas cuantas horas para que alguien les presente artistas famosos, los más famosos que lograron atraer a las playas acapulqueñas, a fin de que presenciaran cuarenta películas. La Reseña de Acapulco ha hecho que el mundo se olvide de festivales como el de Venecia y como el de Cannes. Los trofeos otorgados por México son fabulosos:

el Águila de Plata para el mejor film extranjero,

la Obsidiana de Oro para la mejor actuación femenina,

el Puñal de Guanajuato para la mejor actuación masculina,

la Loza de Talavera para el director más completo,

la Paloma de Tonalá para la mejor fotografía,

el Jarrito de Pulque para la mejor actuación mexicana (femenina y masculina),

y el Nopal Tricolor se entregará al film nacional más aplaudido.

La delegación mexicana, integrada en forma mixta por artistas y escritores, ustedes no lo ignoran, ha presentado una idea notable, la creación de un premio superior al Oscar. Quizá eso reivindique a la industria cinematográfica nacional.

Pero el tiempo se escapa y ustedes aún no conocen a ninguna estrella. Telefonazos al Indio, a Lola (Lady Windermere de Ixtacalco), a Ripstein…, nada; agotados los contactos no queda sino la cacería nocturna: en algún night club deben andar. Cafarel no podrá acompañarlos, tampoco Negrino ni Jeorge Férez. De todos los intelectuales que forman parte de la delegación mexicana, sólo saldrán Riveroll, Julieta O'Jaldra y Rosicler. Prepárense; llevan a las Corrillo, pueden ser útiles, al menos traen coche.

Excelente.

Pantalones blancos y camisas rojas con poemas de Carlos Pellicer y manifiestos anticomunistas de Octavio Paz bordados a mano en la espalda. La O'Jaldra los bordó amorosa y guardó para ella el *Discurso por las flores,* que debido a su longitud tuvo que continuarlo fuera de la espalda: en las caderas y en los pantalones, haciéndolo de difícil lectura. Magdalena quiere ir con ustedes, pero no ha podido quitarse de encima una cruda atroz con serias complicaciones estomacales. Juega vencidas con la cruda. Pierde Magdalena. No irá.

Salgan a las calles, pantalones blancos y camisas rojas, busquen en los cabarets, espulguen el Tequila, visiten las playas, espíen la casa de Parra Hernández (suele alojar celebridades), investiguen la Zona, revisen hoteles, subidos en el convertible de las Corrillo recorran el bello puerto: pueden encontrar a un artista de fama universal, pueden ligar una onda, aún les quedan unas horas antes del inicio de la Reseña: tienen que llegar a ella saludando a la Moreau, a Sorel, a Delon, a Vadim, a todos los que se pueda o se dejen y eso tiene que provocar comentarios en la prensa. Están en posibilidades de darse la adornada del siglo. Salgan.

TÚ ME viste. Estuve toda la noche en el Tequila, bailando y bebiendo. Ustedes me vieron. Vi a Riveroll con Rosicler y con las viejas locas de las Corrillo. Los vi a todos. Todos me vieron. Riveroll, me dio su acostumbrado sablazo. Como estaba ligando con la esposa de Rolando tuve que soltarle dinero, que bien lo tuvo en sus manos, corrió a la caja a trocarlo en dólares. Me dijo que era para gasolina, pues el Cadillac de las Corrillo la tragaba en forma desesperada. Qué temporada escogí para acapulquear. Todo el D.F. intelectual anda aquí. En poco tiempo Rolando se enterará. Como ya me vieron. La ventaja es que a ella no le preocupa: está viviendo una aventura peliculesca y eso le apasiona, lo demás poco le importa, Rolando es muy liberal: nunca ha tenido mayores empachos en soltar a su mujer. Pero, claro, a los demás les exige lo mismo. A veces va lejos. No se me olvida el día, la noche en que ante los ojos atónitos de algunos del Clan se hizo amante de su suegra. Casi la violó. La señora al principio no cedía y pidió ayuda. Todos nos hicimos pendejos y seguimos planeando el montaje del joven Ionesco. La esposa estaba con Rex en el jardín, el cual no tenía una sola luz. El desgraciado de Rolando poco a poco fue arrastrando a su suegra a una recámara. La metió y se oyeron forcejeos. Cafarel se alarmó (aún tiene capacidad para ser bondadoso) y quiso entrar o por lo menos avisarle a la esposa. Lo detuve. Rex se hubiera molestado. Y seguro ella también. Continuamos con la obra. Yo no pude concentrarme: qué carencia de escrúpulos. Con lo que a mí me gusta la señora: un cuerpazo fantástico y de cara todavía aguanta un piano grande. Otra vez, en una misma noche, se acostó con las dos primas de Julieta. Dos niñas babosas de Ciencias Políticas que salen dizque en busca de emociones fuertes porque se aburren con su grupito del Pedregal. Julieta las trajo a la fiesta y las niñas queriendo parecer mundanas se pusieron una borrachera fenomenal. Hicimos el grupo y nos fuimos a casa de Rex a seguirla. Ahí Rolando llamó a la Primera, mientras la Segunda bailaba con Boyd, oyéndolo disertar sobre la pintura, y la condujo derecho a la cama. Ven para que te pase el mareo y te sientas mejor. A la hora casi justa salió Rolando con la Puta en Cierne, cuyo mareo había desaparecido junto con su virginidad. Rolando se dedicó a bailar y a cotorrear un rato para reponerse. Luego del rato, le dijo a la Segunda Piruja Potencial —ahora se las daba de culta recitando completitas sus clases— que le iba a leer sus mejores poemas, una selección dedicada a ella. Prostituta Babosa enloqueció de entusiasmo ante la posibilidad antológica que le brindaba el gran Poeta Joven. La pobre no se había dado cuenta de nada. Pensó que su hermana chillaba en un rincón por causa del whisky. No sabe beber, es muy niña, se dijo. Y se fue feliz a escuchar poemas. Rolando, antes de cerrar con llave, metió en la alcoba una botella, hielos y agua mineral. Vaya. Parece que no se le va una. Me vieron. Ya me vieron. Segurísimos que lo chismorrearán. No creo que Rolando se moleste, como yo no me enojé cuando lo descubrí con mi ahora ex. Hice como que no entendía nada. No importa que me hayan visto ni que yo los haya visto.

Negrino Blanz aprovecha la ocasión para decirle que desea el divorcio. Ella, moviendo su vaso de izquierda a derecha, de derecha a izquierda, se niega. Discuten. Blanz exaltado confiesa que está enamorado de Flavia. Continúan discutiendo. En un momento de lucidez, recuerda que no existe su matrimonio, que nunca se han casado, que sólo eran amantes, que ni siquiera vivieron juntos. Una vez aclarado todo, Blanz, afectuoso, se despide y corre, feliz, a bailar con Flavia.

El grupo II ya lleva consumidas varias docenas de frascos. Sin duda por eso se ve más animado.

—Breques, hacia dónde apunta tu barba esta noche— le dice Meche.

—Hacia el estéreo.

Meche pone otro disco, el último de Sinatra.

Cafarel cuenta la novedosa estructura que dará a su próxima novela.

Meche ya baila con Breques.

—Hace mucho que no bailábamos— dice Meche.

—Hace mucho que no estábamos juntos. ¿Ya terminaste con el poeta menso, aquél que escribía poemas a la naturaleza y los publicaba en el boletín de Agricultura? Eres muy extraña; yo no sé cómo podemos entendernos.

—Es fácil. Te gusto. Me gustas. Si tenemos tiempo, vamos a la cama, si no, otro día. Ya ves. Ninguno tiene compromiso. Siempre ha sido igual. Desde que nos conocemos.

—Te hablé la semana pasada.

—No estuve. Fui a Cuernavaca, a pasar el week end con un pintor que me presentó Marta. Es fascinante. Tiene un cuerpazo.

—Me lo imagino: será deportista, no pintor.

—Es lo mismo. Me gustaba.

—¡Esta música es horrible, parece de velorio! Pongan otra cosa —Rosicler berrea.

Dejan de bailar.

Breques toma del cuello a Meche y avanza rumbo al jardín. Al pasar por la cantina se apoderan de dos jaiboles.

—¿Y mañana? Es domingo. ¿Puedo verte?

—No. Mañana salgo con un jovencito que prometió enseñarme sus trabajos. Parece que tiene talento y no escribe mal.

—Pues no se lo presentes a Rosicler o a Tello.

—Tendré cuidado.

Cambia la música. Rosicler aúlla. La O'Jaldra resbala sobre Férez, quien le pellizca una cadera; ella se ríe; se abrazan.

SUCEDIÓ LO que tanto se temía desde ha tiempo. La Unión Mexicanista de Intelectuales Nacionales declaró la guerra al Clan. Aprovechando la campaña de la Sociedad de Geografía y Estadística (benemérita y anacrónica) en contra de los hijos de Sánchez y en defensa de lo nuestro, la UMIN ha abierto un largo frente en contra del cosmopolitismo. Y jura no suspender las hostilidades hasta que los extranjerizantes renuncien a sus posiciones antimexicanas. Bajo la invocación de Cuauhtémoc y Coatlicue los folkloristas piden que el intelectual vuelva los ojos hacia sus raíces. Tenemos que hablar de lo nuestro, de lo mexicano, sostienen. Como se saben plenamente apoyados por el pueblo acusan a los cosmopolitas de socavar los cimientos de la nacionalidad con ideas y fórmulas exóticas que en nada ayudan al desarrollo cultural del país. Lo envenenan, gritan gimoteantes, llorosos.

La lucha se dará en todos los frentes, según se vislumbra. Por lo pronto, un primer paso es la construcción de un fraccionamiento para que vivan los intelectuales *mexicanos hasta las cachas* y no se contaminen. Se impone, además: a) que en los rumbos de Tepito o de La Lagunilla se establezca la Zona Tricolor, lugar de reunión (cafés, cines, comercios, clubs nocturnos, etc.) para los escritores de la UMIN y los miembros de la SMGE; este sitio gradualmente absorberá a los esnobs de la Zona Rosa y los convertirá en buenos patriotas mediante complicado sistema de rehabilitación ideológica; b) que se creen estímulos oficiales para recompensar los trabajos y esfuerzos de los artistas folklóricos, pues sus condiciones de vida son algo así como deplorables y sólo viven bien los que han tenido éxito trabajando en el PRI o en las secretarías de Estado.

Que en realidad se pretenden los objetivos que a continuación se mencionan, sin que los anteriores se eliminen:

1: Imponer el folklore como la única corriente artística en México, bajo el rubro de Folklore Nacionalista.

2: Erradicar las enfermedades endémicas extranjerizantes: el intelectual no tiene por qué ser el reflejo de costumbres o situaciones que en nada se parecen a lo nuestro.

3: Desterrar las ideas exóticas que en materia de estética perjudican a la nacionalidad.

4: Hacer una quema pública de los libros y cuadros de autores que no son mexicanos o que siéndolo no escriben o pintan sobre nuestro glorioso país.

5: Encarcelar a los artistas que persisten en actitudes antipatrióticas, para que purguen cadenas perpetuas a trabajos forzados en San Juan de Ulúa.

6: Hacer un arte que exalte las virtudes y las cualidades de la idiosincrasia nacional: un arte desde luego popular, fácilmente aceptado por nuestro pueblo.

7: Ayudar en la Campaña de Alfabetización.

8: Ya que se está en esto de combatir lo extranjero, debe prohibírsele al intelectual mexicanista (y al pueblo) vestir como habitante de otro país, ingerir alimentos no nacionales y escuchar música denominada rock and roll. La UMIN ha establecido el uso obligatorio, al menos para sus afiliados, del ropaje nativo del lugar de nacimiento del intelectual, esto es, el traje regional de su patria chica, el rechazo de los hot dogs, los sandwiches y las hamburguesas y la reivindicación de los antojitos: tacos de nenepil, de buche, de machitos, por ejemplo. En cuanto a la música, solicita un decreto tendiente a convertir en programas nacionales los siguientes: El triunfo de los charros y Qué rete chula es la música mexicana. Además de esto, las radiodifusoras La charrita del cuadrante, Radio Barrilito y Radio Mexicones deben subsidiarse y más adelante convertirse en propiedad del Estado. Resulta inútil señalar que también la música clásica debe postergarse, pues normalmente es extranjera. Fuera Mozart y Schubert. Adentro Greever y Lara.

Este renacimiento mexicano (no se ha planteado, pero la idea es notoria) traerá el destierro del español para sustituirlo por el náhuatl. Incluso, algunos poetas ya han escrito romances y corridos en tan bella lengua. Y una editorial hace poquito anunció la primera novela en náhuatl, obra con tema, dijeron, que no dejaría dudas sobre la nacionalidad de su autor. Sexo campesino, violencia campirana y muerte atrás de los magueyes, pero eso sí: todo en rico idioma autóctono.

La lucha ha tomado características tan sangrientas que es comparable al odio que sostenían entre sí conservadores y liberales en el siglo diecinueve o 1° antes de la Revolución Mexicana. Hará unos tres días, hubo un comelitón en la Zona Tricolor. Festejaban a la Flor Más Bella del Ejido Urbano. Los de la UMIN se emborracharon —tequila y mezcal, sotol en algunos casos— y decidieron lanzar un ataque masivo y por sorpresa contra la Zona Rosa. Eran como las siete de la tarde: pescarían sin remedio a los beatniks, a los hippies, a los existencialistas, a los esnobs, a los del Clan. A las voces de Jalisco nunca pierde y cuando pierde arrebata, Como México no hay dos y Yo soy de acá de este lado, los miembros activos de la UMIN (y sus aliados de la SMGE) se lanzaron por las calles hasta llegar a la colonia Juárez (¡vaya paradoja!). Alguien les dio el soplo a los de la Zona Rosa, quienes rápidamente fortificaron con mesas y sillas del Chip's, del Presidente, del Safari, de Leblon, del Kineret, del Tirol, del VIPS, los dos frentes de combate: Insurgentes y Paseo de la Reforma. Rosicler y Riveroll fueron nombrados generales: uno haría la defensa del frente Insurgentes; el otro defendería, con su vida si fuese necesario, el frente Reforma. Los mariscales de campo Rex Cótex y Culeid establecieron el cuartel general en la azotea de Sanborns Niza. Las operaciones serían dirigidas desde allí. Nora, Breques y Rolando fueron designados para una misión: solicitar refuerzos en Filosofía y Letras en caso de que los folklóricos lograran transponer los frentes y se produjera la invasión de la Zona Rosa.

Se iniciaron las hostilidades. Poco antes uno de los folks, desde el monumento que está frente al Hilton, arengó a sus huestes invocando varios nombres definitivos de la literatura y la pintura nacionalistas. El choque fue durísimo. Los folkloristas intentaron flanquear a las fuerzas del general Rosicler, pero fueron rechazados hasta el cine Diana, gracias al armamento proporcionado por Aunt Jemima's: sillas metálicas y botellas de miel. En cambio, en el frente Insurgentes, el general Riveroll estuvo en peligro de ver sus fuerzas cortadas en dos, merced a un furioso contraataque del enemigo, y tuvo que retirarse dos calles y atrincherarse en Génova y Londres. Allí esperó refuerzos. El mariscal Rex dio órdenes para que una brigada ligera y una pesada —¿cuáles serán?— mediante una operación de pinzas atraparan a las fuerzas que amenazaban al general Riveroll. Las reservas al mando del comandante Cafarel (acantonadas en Carmel) fueron desplazadas hacia donde las fuerzas de Riveroll se batían heroicamente.

Los folkloristas concentraron su fuego contra las posiciones de Riveroll. Y quisieron arrojarlo de ahí con varios blindados (coches que pudieron obtener), cosa no lograda, pues fueron detenidos por la artillería que operaba a un costado del cine Insurgentes, artillería de grueso calibre (botellas de coca-cola familiar, librotes sacados de Misrachi y cuadros de la galería de Juan Martín). De esta manera se consiguió neutralizar eficazmente el ataque de los folklóricos.

Entretanto, Rex formó dos batallones de voluntarios y los arrojó contra las fuerzas folklóricas que ya habían sido paralizadas en Londres y Génova. La embestida hizo retroceder al enemigo hasta la avenida Chapultepec. Y aunque ofrecieron feroz resistencia, su moral era débil y no presentaron problemas. El rechazo fue total. Las tropas enemigas estaban derrotadas en toda la línea. Los folkloristas se retiraban en desorden, dejando muchos heridos y prisioneros. En cambio, las bajas de los defensores de la Zona Rosa fueron moderadas. Entre los prisioneros se hallaban varios jefes de importancia de la UMIN: Tomás Mojarro, López Bermúdez y Teponaztle Popocatépetl, los que sin mayores papeleos burocráticos fueron confinados en el reducido baño del café Lautrec.

Rosicler rindió lacónico parte a los mariscales de campo: Las armas cosmopolitas se han cubierto de gloria. El enemigo ha sido totalmente batido y huye en busca de refugio.

La noticia de esta batalla llegó hasta las orejas de las autoridades del Departamento del Distrito Federal. Las futuras olimpiadas peligraban a causa de tales alborotos. Sin tardanza, los granaderos —sin comer durante 72 horas y mariguanos durante ese mismo lapso— recibieron órdenes de ir al lugar del choque. Sólo que al llegar, no había sino unos cuantos vidrios rotos y palos tirados en el suelo; lo demás, tranquilidad y bienestar social. Regresaron los granaderos a sus jaulas furiosos por no haber podido gasear y macanear a seres humanos.

Metido en el Tirol, el alto mando cosmopolita, entre cotorreos y bromas, planeaba una batida por los rumbos aledaños a la Zona Rosa para finiquitar el posible problema de los guerrilleros y los francotiradores.

Triunfaba la cultura universal. Los de la UMIN no reconocían más estrategia militar que la de Morelos y Obregón. En cambio, los vencedores eran expertos en Maquiavelo, Napoleón, Julio César, Clausewitz, Zhukov, Guevara, Mao Tse-tung, Giap, Debray. Ahí la diferencia. Los jefes del Ejército del Águila Nopalera nomás conocían el triunfo de Santa Anna sobre el expedicionario Barradas y la Batalla de Zacatecas, por cierto muy mal.

POR TAL razón, compañeros, propongo que demandemos del Estado su protección y que las autoridades legislativas hagan un proyecto de ley para prohibir a los artistas fifís y a go-gó que persistan en su actitud antipatriótica.

El senador Jorge Domínguez movilizó su poderío contra los cosmopolitas, los arrojó de su revista y al mexicanizarla totalmente se decidió (ningún esfuerzo le costó) por las tesis del folklorismonacionalista. Entre los pocos que le hicieron frente estaba Arturo Cantú, compañero de borracheras de ilustres personalidades intelectuales, infructuosamente, pues era franca minoría.

El folklorismonacionalista es el único camino en cuanto al arte, el camino que viniendo de nuestros sagrados antepasados prehispánicos pasa por la triunfal Independencia, por la gloriosa Reforma, por la demoledora Revolución y llega a nuestros días como ave paradisiaca que cruza el pantano y no se mancha. Hombres de la Revolución Desde Adentro todos contra el cosmopolitismo enemigo de nuestras más puras y caras tradiciones. Los valores de México están por encima del exotismo. Es falso que las ideas sean universales, por el contrario, tienen nacionalidades y las nuestras son las mejores sin lugar a dudas. El discurso de JD fue muy aplaudido (Aparte de buen político es un gran literato, dijo un admirador que colaboraba con él), hasta por los de la Oposición Pagada. Pero como nadie sabía de qué se trataba, pensaron que era alguna nueva marca de balones, no aprobaron el proyecto de ley que ponía al alcance de la policía a los cosmopolitas y turnaron el caso a Asuntos Generales Posteriores a las Olimpiadas.

Enterado Berriozábal, comenzó a pensar en la expatriación voluntaria, qué tortura vivir bajo el provincianismo absoluto, meditó, pero no dijo nada a nadie.

CULEID PINTA un autorretrato cuando recibe la noticia: el gobierno, por los conductos necesarios, le ofrece un muro de la Secretaría de Salubridad y Asistencia Pública y le paga un precio fabuloso por pintarlo. Tema del mural: El médico rural es un buen amigo del campesino, salva al mexicano del campo cada día, sin quejarse por sus padecimientos, peleando contra las vicisitudes, el médico rural es generoso y desinteresado, ayuda al campesino, lo inmuniza contra las enfermedades, lo salva y lo ayuda cada día. Culeid medita: Buen dinero, tema interesante para manejar algunas nuevas combinaciones de grises y negros. Pregunta: ¿Y puedo hacer el mural como me dé la gana? Respuesta: No. Lo único que se le permitirá según contrato será usar los colores que usted desee siempre y cuando sean optimistas. Reacción de Culeid: casi los corre a madrazos.

Telefonazo a Lépiz, el político del grupo, el que hace las maniobras del Clan: Oye, pasa esto. Lépiz responde: Ya lo sabía, me acaba de hablar uno de mis conductos secretos. El Zócalo está aumentando su presupuesto destinado a los intelectuales con el objeto de ablandarlos y quitarles su deteriorado grado de independencia. Ofrece cantidades inverosímiles a los que han observado mayor autonomía. A Rex ya lo intentaron comprar. Pero Rex es Rex y además de enviarlos a la chingada, va a escribir un largo artículo poniendo al descubierto la nueva táctica (ojalá que su papá no lo impida). Nadie del Clan debe aceptar ayuda oficial si tal ayuda tiene negras intenciones.

Culeid cuelga. Pensativo. Indignado contra Papá Gobierno. Regresa a su caballete. La luz es buena: aún puede pintar unas tres horas.

I: ¿Qué significa James Bond?

II: ¿De dónde proviene la idea Bond?

III: Principales antecedentes de James Bond.

IV: Ian Fleming y James Bond.

V: El bondismo.

VI: La necesidad del mundo occidental de un superagente secreto a su servicio.

VII: James Bond, factor decisivo para la coexistencia pacífica sobre las bases de occidente.

VIII: El 007 *vs* el peligro oriental o amarillo.

IX: Cada quien a lo suyo, James Bond al contrespionaje.

X: Diferencias entre el 007 literario y el 007 cinematográfico.

XI: ¿Es James Bond un producto de la imaginación calenturienta de un escritor o la necesidad real e inmediata de los países libres?

XII: Los servicios de los 00 deben ser contratados por la CIA y la OTAN y la OTASE y la OEA.

XIII: El agente 007, su actuación limitada; necesidad de que surjan los 00 que siguen, hasta el 20 siquiera.

XIV: James Bond y su dominio total sobre las mujeres. Necesidad de imitarlo en este aspecto.

XV: Conclusiones.

Apéndice: Originales de Ian Fleming. Principales comentarios en pro de James Bond.

Índice de nombres.

Ustedes pelearon para que la delegación mexicana quedara mejor integrada. No se logró. A su lado tendrían que ir algunos charros cantores, boleristas, boleristasrancheros, actrices de telecomedias, artistas enmascarados y lindezas de ese calibre. Ni modo. El criterio de los magnates del cine se impuso. Sin embargo, ustedes se hospedarán aparte. Lejos de Quique Guzmán, de Libertad Lamarque, de Pedro Vargas, y de los otros. En el fuerte de San Diego sus asientos no están cerca de ellos, sino junto a la delegación inglesa. Qué suerte. A ver si es posible que platiquen con Rita Tushingham. No lo olviden: adentro no hay dulcería, lleven su dotación de muéganos, palomitas y coca-colas.

¡Vaya desmadre!: Marta ya se encueró completa y definitivamente, al menos por lo que resta de juerga. Lo de siempre, *Patricia* con el maestro Pérez Prado, aplausos y gritos de mucha ropa, mucha ropa, go, go, go, gol, Marta que no sólo es ampliamente conocida por fuera sino también por dentro, insiste en exhibirse desnuda, pobre; cierto que no está mal pero todos la han visto tanto y tantas veces que, bueno, los del antiguo grupo IV es sólo la tercera vez que presencian el estriptís y por ello ninguno da muestras de aburrimiento.

Los del III hace más de media hora que se despidieron de Riveroll y se largaron, siempre andan con prisas, y con razón, las elecciones de diputados son cada tres años, las senadurías y la presidencia así como las gubernaturas se ponen en juego cada seis y los otros puestos se ganan a pulso estando, como los scouts, siempre alertas; todas las chambas hay que ganarlas a base de amistades y ayudas sinceras y sacrificios. Benavides, el mismísimo Ruperto y algunos más ya estaban fastidiados de las priísticas presencias. Riveroll será amonestado. Se quedaron por ser amigos de RB, Camarazo Losa y Ortiz Leal. En ese grupo continúan oyendo la disertación de Ruperto; ahora habla sobre las novelas que él considera fundamentales para América Latina: *El siglo de las luces, La ciudad y los perros y Rayuela*. Desglosa con pavorosa agudeza el tríptico literario, señala sus virtudes, sus aciertos. Habla de su importancia. Repite frases que los autores le han dicho. Sus escuchas no se vuelven hacia el fondo de la sala, están embobados con él y ese estriptís se ha multiplicado ante sus ojos muchas veces.

Riveroll se halla en definitiva incorporado en el grupo que originalmente era el dos romano. Bien vista la pachanga, nada más el grupo I conserva la pureza de sus integrantes. Los restos de los grupos (varios cultos andan en el jardín vomitando o duermen saturados de alcohol) II, III y IV están solidarios en uno: el que rodea a Marta, que se contorsiona al ritmo de las palmas, la música y los gritos.

Y

Rosicler y Carlos Ponce han desaparecido tras las cortinas: el movimiento de las gruesas telas denuncia el lugar exacto en el que se encuentran. Julieta besa indiscriminadamente a Flavia y a Bartles, quien le agarra las piernas a la mayorcita de las primas Corrillo, la que a su vez se deja besar y manosear por Pedro Guía. Todos intentan agotar las reservas de trago existentes en la bodega de la familia Cótex; Ortiz Leal titubeó antes de incrustarse con los de la diversión; suena el timbre: por fin llegan los negros contratados en Fiestas en Grande, Sociedad Anónima; ninguna orgía respetable carece de negros como se ha visto en varias películas europeas; Rosicler, que ha soltado a Ponce, rápido incorpora a los Alquilados de Color, los pone al tanto de sus obligaciones, les entrega sendos jaiboles, explicaciones vienen explicaciones van y Rosicler no le quita la mano del pecho a uno de los oscuros; la entrada de ellos relega a segundo plano el perpetuo estriptís de Marta y el gran grupo, ya con los negros, se fragmenta para divertirse mejor y realizar juegos diversos; así unos juegan a la botella: el que es señalado por la punta se quita una prenda; otros inventan algo más eficaz: mientras alguien cuenta una monstruosa escena sexual los oyentes se van quitando las ropas; Elvira baila sola, las Corrillo atraparon a Rex y lo desvisten entre forcejeos innecesarios, Regueiro y Magdalena bailan y ambos están borrachos, el resultado del baile es risible, pero nadie lo nota; Rosicler, sin importarle las miradas de Carlos, ataca a un negro, Pedro Guía se dirige al otro extremo de la sala y le suelta a Ruperto que el Clan sí que desea seguir siendo fuerte y poderoso, el gran representante de la inteligencia nativa debe revisar en una plenaria sus estatutos, reformarlos sustancial- mente; Ruperto sonriendo un poco por la audacia de Guía y otro poco por la espantosa borrachera que trae a cuestas le indica que formule su petición por escrito señalando los artículos que necesitan reformas. Guía, satisfecho, le explica cuáles son sus ideas para reafirmar el Clan y darle ciertos matices políticos y eso que suponía que nadie del grupo IV se interesaba por tales cuestiones, Ruperto escucha que debe dársele la puntilla al folklorismo típico de la UMIN y de la SMGE, Culeid se anima y saca a bailar a la O'Jaldra y Ale- jandro Ave declama sus versos para que alguien los oiga, le agraden y lo ayude a publicar su libro único que prepara des- de hace varios años; Rosicler lo calla pues sus versos son una tortura que ya han provocado el vómito en más de uno.

PEDRO GUÍA parece personaje de José Agustín. Estudió en escuelas maristas y llegó hasta el segundo año de Letras. Sus primeras experiencias literarias las tuvo en el taller de Juan José Arreola, quien le ayudó a pulir sus primeros cuentos. Después le publicó en la revista suya, *Mester*.

Guía es un cuate muy chistosito. Su forma de vestir, de hablar, de actuar, de ser. En un tiempo participó en la po- lítica estudiantil. Sus primeras prácticas las hizo en la Pre- paratoria 7 diurna, las últimas fueron en Filosofía y Letras. Movido por un interés especial en el mejoramiento de las escuelas y facultades universitarias, quería ser un buen líder estudiantil y prepararse para la grande y en la grande dar la pelea contra el Gran Dedo y evitar que el PRI ganara de todas todas bajo los sistemas que emplea. Tenía un grupo, Jacinto Canek —sin duda había leído a Ermilo Abreu Gómez—, que le permitía realizar actividades políticas y culturales. Gracias al Canek y a los trabajos por él desarrollados, Guía obtuvo la delegación a la FUSA por la Facultad de Filosofía y Letras.

Al principio de sus intervenciones en la FUSA nadie lo tomaba en cuenta; por su melena y forma de vestir todos suponían que era un vietnick loco. Pero a las dos sesiones se había echado al portafolio a la mayor parte de los delegados de izquierda y el odio de los reaccionarios. Los candidatos a la presidencia de la FUSA quisieron atraerlo a su seno, pero como no aceptaba talega optaron por grillarlo ideológicamente. Aprovechando algunas coyunturas, Guía formó un compacto bloque de izquierda con quince delegados y se lanzó a tomar la FUSA. El rector lo mandó llamar y le dijo: a) que tenía todo el apoyo de rectoría; b) que rectoría estaba de acuerdo con sus posturas políticas; y c) que lo mejor para no estropear su carrera política incipiente era sujetarse a las disposiciones rectoriles. A cambio el joven líder tendría las siguientes ventajas: 1: dinero en efectivo quincenalmente, 2: las faltas escolares siempre justificadas, 3: derecho a presentar exámenes ordinarios y 4: un pase anual para todos los espectáculos artísticos de la UNAM. Ante el rotundo no de Guía, el rector le dijo que saliera de su despacho, sagrado recinto universitario, pues no toleraba a los rojillos e hizo pasar inmediatamente a otro candidato a la FUSA, el delegado de Ingeniería.

La actitud canallesca del rector no lo desanimó, por el contrario, le dio fuerzas para sanear el medio tratando de obtener la presidencia de la FUSA. La base estudiantil me respalda, se dijo ingenuamente. E inició su campaña a base de programas serios y objetivos hasta donde puedan serlo tales actividades. Sin embargo, el resultado de las elecciones estaba decidido desde el momento en que rechazó la oferta del rector.

Tras de brillante campaña política estudiantil, Guía llegó a la hora de las elecciones. Con él estaban dieciséis delegados. Su voto era el número diecisiete. Mayoría. Y cuál no sería su sorpresa al ver que los delegados que suponía fieles compañeros, parándose de su silla (colocadas en el tercer piso de la torre de rectoría), votaban ostentosamente por el reaccionario, miembro de la Parroquia Universitaria, del Opus Dei, del MURO, con credenciales del PRI y del Frente Cívico de Afirmación Revolucionaria, delegado de la Facultad de Ingeniería. Guía aún no escapaba a su estupor, cuando el representante del rector inquirió por el voto del delegado de Filosofía y Letras. Furioso, dijo que no se prestaba a farsas, que todos los delegados de escuelas y facultades eran unos grillos abyectos, vendidos y oportunistas. Como pudo logró hilar una serie de acusaciones en contra de las autoridades universitarias y en contra de los políticos estudiantiles. Y cuando los volvió a señalar como oportunistas, uno de ellos, el delegado de la Preparatoria 1, exigió una moción aclaratoria que en el acto le fue concedida.

—Sí, somos oportunistas, pero muy oportunos, compañero Guía.

Asombrado el hasta ha poco candidato a presidente de la FUSA, por la capacidad de cinismo de los Vendidotes, salió del sagrado recinto donde normalmente sesiona el Ache Consejo Universitario, con la idea de escribir una novela, *La grilla,* satirizando las repugnantes actividades y los matices de la política a nivel universitario. Yo tuve la culpa, se decía, por confiar en estos tipos. Pobres diablos, ya se los llevará el tren aunque lleguen a tener los placeres efímeros que otorga la política mexicana de cualquier tipo. Al enterarse de que los delegados que estuvieron con él lo habían traicionado por un talegazo de mil pesos a cada uno, su indignación fue sin límites. Luego la cólera cedió su lugar al desprecio.

¿Te apoyaron acaso las gentes de izquierda? Nunca. Se les fue el tiempo en criticar tus actividades. Nada de lo que hacías era positivo para la causa del proletariado estudiantil —cuál— ni para resolver los grandísimos problemas nacionales. Ellos, mientras fueron de izquierda, te reprocharon todo lo posible y en ocasiones hasta lo imposible. Ahora que esos compañeros tuyos —de la preparatoria y de la facultad— han concluido sus estudios o empiezan a buscan empleo, sus posiciones políticas se han decolorado a tal grado que ni con lupa pueden verse. A pesar de todo, si volvieras a estar junto a ellos, los puros, los intocables, los verdaderos marxistas, te volverían a criticar y a verte con desdén, con un desdén fingido porque carecen de posibilidades para sentirlo auténticamente.

¿Y recuerdas el mitin de solidaridad con los presos políticos? Sí, fue risible el giro que tomó. Convocaste al mitin en la explanada de rectoría. Durante la organización hubo dificultades con los mil grupos de izquierda estudiantil —en fiel caja de resonancia nacional— divididos, fragmentados y antagónicos entre sí y con ellos mismos. De cualquier modo, lograste llegar a ciertos acuerdos que permitían la realización del mitin, por lo que las autoridades universitarias enviaron a los gorilas del Cuerpo de Vigilancia (ex granaderos, ex agentes de la Judicial, ex agentes de la Secreta, ex hombres). Como el mitin estuvo muy concurrido, los Putos Gorilas no se atrevieron a interrumpirlo. Hablaron varios estudiantes de la necesidad de derogar el artículo 145 del Código Penal. Hacían buen papel, hablaban sin retórica ni demagogia, directamente. Cuando llegó tu turno en la mínima lista de oradores, uno de la fracción de la Cuarta Internacional Mexicana te hizo a un lado de un empellón, y ante los azorados ojos del público estudiantil comenzó a invitar a cada universitario a tomar las armas contra el gobierno.

—Los obreros y los campesinos sólo esperan que alguien inicie la revolución. Las condiciones materiales para llevarla a cabo están dadas. Ya hay grupos guerrilleros en la Sierra Madre Oriental y también hay en Guerrero y en Chihuahua. En poco tiempo, camaradas, la situación será nuestra. México será el segundo territorio libre de América.

Ante el descontento de los estudiantes, el trotskysta continuó pero ahora con mayor énfasis, dándole a sus palabras un tono demagógicamente persuasivo.

¿Se te ha olvidado?

—Lo que pasa es que ustedes, camaradas, se han dejado normar el criterio por la prensa vendida al imperialismo yanqui y a la burguesía nacional. Grave error. Ellos nunca permitirán que se informe al pueblo sobre los movimientos armados que amenazan derribarlos para siempre. Debemos hacer a un lado sus falsas informaciones e incorporarnos a los guerrilleros que derrotan a las fuerzas de la oligarquía.

—¿Con qué armas? —lo interrogó un estudiante.

—Con las que estén a nuestro alcance —contestó el trotskysta sin mirarlo siquiera—. Con cuchillos de cocina, con pistolas, con bombas de fabricación casera, con los puños; convertir nuestras casas en trincheras, practicar el terrorismo, la guerrilla urbana, ofrecer la vida en aras de un gran ideal.

Siguió así un rato. Tú no sabías qué hacer. Si le quitabas el micrófono los estudiantes te acusarían de antidemocrático y de emplear la violencia para acallar a un camarada, si lo dejabas, seguiría rebuznando. Habló de la Reforma Agraria integral, de los monopolios, de los intelectuales vendidos, de los políticos corruptos; explicó las ideas de Marx y Engels; comentó las teorías del Profeta Armado y gimiendo contó las vicisitudes del Profeta Desarmado hasta su muerte provocada por el canalla Stalin, aquí se detuvo para llorar. En seguida, volviendo a la carga, dijo que los días del imperialismo estaban contados, que los obreros y campesinos mexicanos estaban dispuestos a darle la puntilla siempre y cuando fueran dirigidos por intelectuales progresistas, estudiantes revolucionarios y, por supuesto, guiados por la fuerza de la Cuarta Internacional. Dijo que los pueblos de América Latina se levantarían como un solo hombre, que se acercaba la hora de la liberación y el florecimiento del Hombre. Los estudiantes no se movían de sus sitios y sólo agitaban las manos y clamaban por armas para derribar a la burguesía. El mismo joven que preguntó por ellas recordaba que en su casa había una escopeta de chimenea. De pronto empezó a llover copiosamente y el público, olvidando la Revolución Permanente, echó a correr en busca de refugio. Únicamente quedaron tres convertidos de la justeza del movimiento que casi se iniciaba de no ser por la lluvia. Entonces, el trotskysta, ante la estampida global, decidió encararse al enemigo inmediato y concluyó afirmativo:

—¡Los elementos, los elementos, camaradas, se han aliado al imperialismo yanqui para combatir nuestro movimiento! ¡Debemos acabar con los elementos, pues de sobra ha quedado demostrado que son reaccionarios!

Chorreando agua te acercaste a una muchacha que se había petrificado frente al orador que seguía infatigable con su tarea de desenmascarar a los elementos y la llevaste a la Biblioteca Central a guarecerse del agua.

Al poco tiempo, el joven Guía entendió que prefería la literatura y que si deseaba ser escritor, necesitaba dejar Letras, ya que allí lo preparaban a uno para maestro de español, no para escritor. Abandonando Letras se dedicó a la literatura. Asimismo dejó la política estudiantil.

Ya antes había escrito algunos cuentos y varios poemas. Con los últimos obtuvo burlas, con los primeros ganó el Concurso Universitario de Cuento. La beca Lezano lo impulsaría de lleno a la novela.

—Sus cuentos son buenos, pero creemos que en la novela estará mejor —le dijeron en la Institución Lezano. Y añadieron: Si usted accede a escribir novela cuente con la beca.

Accedió. Más adelante, esa novela lo convertiría en el muchacho de dieciséis años más famoso de México. Y su conocimiento acerca del Hit Parade provocaría envidias entre los miembros activos del Clan tales como Rosicler o Riveroll, quienes lo hostilizarían constantemente una vez admitido Guía en la organización intelectual.

A PEDIDO de Rex y Cafarel, un grupo de críticos (ajenos al Clan pero dueños de cierto prestigio a causa de un talento poco común para filtrarse en publicaciones y editoriales) van a elaborar una obra maestra: Sus nombres fundamentales era la literatura del siglo XX (por supuesto, ellos mismos).

Cafarel tuvo la idea. Como es de suponerse, Rex se limitó a aceptarla. De éste saldrá el dinero para costear el trabajo de los críticos (y agudos ensayistas literarios). Cafarel, tacaño como suele ser, inventó que él no pagaría nada por ser autor de la idea e insistió en ponerlos a chambear en las oficinas de *Cafarel's Company*, aduciendo la imperiosa necesidad de controlarlos (y pensando para sí que era una buena forma de cobrarle a Rex gastos de papel, por el uso de las máquinas de escribir, de los escritorios, etc.).

El hecho de que no estuvieran en el Clan quienes prepararían el vital fragmento de la historia literaria del actual siglo, se debe a que fuera de él la mano de obra sale mucho más barata. Sin excluir que el factor imparcialidad estaría ausente del trabajo: ¿quién del grupo aceptaría escribir una historia de la literatura sin incluirse?

Cafarel y Rex pretenden que la historia comience con un amplio panorama acerca de la familia de cada autor. El libro no estará exento de juicios favorables a sus obras, análisis críticos valorativos de las mismas y al final una espesa iconografía que mostrará el desarrollo físico de dos grandes de la literatura universal. La evolución intelectual de ambos genios será narrada por los críticos contratados. Y los datos serán proporcionados por los mismos Cafarel y Rex, un poco a manera de entrevista. Al final del libro (unas dos mil páginas), se insertarán sus obras más representativas.

Se ha pensado (si el general Cótex autoriza el gasto) que se hagan tres ediciones del libro: una en español, las otras dos en inglés y en francés. La intención es obvia, se trata de evitar los engorrosos trámites que son indispensables en las traducciones y ahorrarse todo ese tiempo. Sólo se buscaría una empresa distribuidora en los distintos países.

Rex, en un curioso momento de iniciativa personal, sugirió el registro de la idea; así se paralizaría cualquier intento de plagio que le restaría originalidad a la obra, dando margen a que aparezcan más salvadores de la literatura universal. Nada de competencia.

Conforme los capítulos vayan apareciendo, Cafarel, que es influyente en la UNAM (hasta orgías celebra cada quince días en la Casa del Lago), organizará lecturas públicas con el objeto de que la gente no reciba de golpe la impresión que sin duda producirá la obra completa, lujosamente empastada. Y los fragmentos más interesantes (será muy difícil seleccionarlos) aparecerán en la *Revista de la Universidad*.

LAS AUTORIDADES federales descubrieron algo monstruoso: existen más de tres millones de indígenas viviendo en condiciones infrahumanas, primitivas. A velocidad de Mustang comisionaron al general y senador Aureliano Cótex y a Jorge Domínguez para que inventaran un quitamanchas que despercudiera la túnica blanca de la Revolución, incorporando a los indígenas al ritmo civilizado. Ambas personalidades se reunieron y discutieron largamente, por espacio de varios días, hasta ponerse de acuerdo: —Deben fomentarse las artesanías de los grupos étnicos atrasados por falta de mestizaje adecuado y por falta de otras cosas materiales. La alegría de los dos personajes fue tan grande que no ocultaron la solución, resultado de largas deliberaciones, y los amigos de Rex (que lo estaban esperando para ir a una conferencia) escucharon. Entre otros estaban Rosicler y Riveroll, que a veces se interesaban por los grandes problemas nacionales aunque fuera de guasa y por puro cotorreo. De casualidad andaban sobrios y se les grabó la solución de fomentar las artesanías indígenas. Rosicler confesó seriamente que como tenía poco tiempo en México desconocía el problema, que él hubiera jurado que los indios pertenecían al pasado y a las películas como *Tarahumara,* que vio accidentalmente siguiendo a un muchachón que se metió en el cine Roble donde la exhibían. Riveroll, por su parte, recordó que una vez, cuando era muy chico, sus padres le señalaron un señor vestido muy curioso y le dijeron —Mira, ése es un huichol. Rosicler le confesó a su inseparable amigo que al llegar a México había preguntado por las reservaciones indias y nadie supo informarle dónde estaban. Sea como sea, juraron ayudar a los indígenas; hubo un par de citas de Spengler y otra de Ortega y Gasset antes de partir a la conferencia que daba Cafarel en la Casa del Lago.

—El resultado será doblemente benéfico para el país— informaron al Presidente—, por una parte los indígenas reciben toda la ayuda necesaria sin que se sientan heridos pensando en limosnas; y por otra, el turismo aumentará ya que esos objetos lo entusiasman hasta la locura de comprarlos por docenas.

Cótex y Domínguez fueron generosamente felicitados por el Presidente, y después de advertirles que serían recompensados sin reparos, les pidió que cuanto antes pusieran en marcha tan genial plan. —Vienen las olimpiadas, necesitamos divisas. Recuerden: hay que hacer favorable la balanza de pagos por medio de los dólares que dejan los turistas —dijo por último un tanto sonriente y de buen humor.

El plan de Cótex y Domínguez incluía un inciso que obligaba a los indígenas a agruparse detrás de alambradas y desde ahí vender sus objetos artesanales, claro, siempre vestidos a su manera tradicional, conservando sus ritos y costumbres. Esta idea venía indistintamente de Auschwitz o de algún viajecito a los EUA.

Como a la semana, Cótex y Domínguez recibieron en forma anónima una cinta magnetofónica. Rosicler y Riveroll preferían en ese caso trabajar en secreto y sin aspirar a la gloria, mucho menos a un empleo burocrático, qué horror. Algo intrigados por el anónimo cibernético, los políticos mexicanos hicieron funcionar la grabadora. Cuates, queriendo colaborar en la obra emprendida por ustedes para resolver el problema indígena, enviamos algunas sugerencias: el Instituto Nacional Indigenista debe realizar colectas semejantes a las que organiza la Cruz Roja, para con lo recaudado *a,* construir escuelas; *b,* darles a los niños aborígenes desayunitos escolares; *c,* comprarles a los mayores ropa y algo de comida. Una vez que desaparezca el Problemón Indígena, y mediante la correcta aplicación del plan, puede levantarse en plena Alameda, en el sitio que ahora ocupa la espantosa y sentimentalucha Malgrée Tout del maestrín Contreras, un monumento abstracto al Indígena Desconocido, para que el mexicano recuerde su medio origen y el turista venga a fotografiarlo a placer. Dos intelectuales jóvenes.

—¡Es increíble! Estos jóvenes no tienen sentido de la realidad mexicana. Cómo se ve que no hicieron la Revolución —dijo Domínguez a Cótex.

—Proponer esas soluciones es un absurdo —repusó Cótex bastante irritado—. La creación de un monumento al Indígena Desconocido no es mala, quizás el error resida en que la estatua sea abstracta... Si la hacemos realista...

—¡Claro —dijo Domínguez saltando de su reposet—, es una excelente idea! Ya me la imagino: un indio fuerte y prieto como nuestra tierra labrantía, protegiendo a una mujer en cuyos brazos está un niño.

—El indígena puede tener el rostro como Juárez y en la mano apuñada una mazorca, símbolo de fertilidad y combatividad —añadio Cótex orgulloso de su agilidad mental.

Domínguez encendió un Raleigh con filtro y siguió:

—El señor Presidente descubrirá la estatua. Veo el cuadro: primero un poco de música típica, acaso el Mariachi Vargas de Tecalitlán, no, mejor chirimías y teponaxtles, luego algunos discursos sobre el papel del indígena en el México moderno, por último la develación del monumento. Muchos periodistas y muchos fotógrafos. Pasaremos a la historia. Ojalá supiéramos quiénes son los jóvenes que nos enviaron la cinta para premiarlos.

CULEID DESCANSABA frente al televisor. Miraba distraído un programa sin mayor interés, cuando le llamó la atención el anuncio de una subasta internacional. Se trataba de subastar un cuadro de Picasso en varios países simultáneamente, empleando el Early Bird. El dinero de la subasta sería destinado a las obras de restauración en Florencia. Como la subasta era en Roma y se transmitía a Los Ángeles, a Nueva York, a Londres, a Tokio y (accidentalmente) a México, se hizo en inglés para evitarse problemas. La narración de las ofertas sería en ese idioma. Ruiz de Pérez, diputado y locutor, fue el designado para recibir las ofertas mexicanas y enviarlas telefónicamente a Roma. Ninguno otro pudo haber sido: Nadie más aparte de él habla un segundo idioma.

De esta ciudad se tomaba la puja más elevada y se transmitía a Roma. Culeid vio cómo los habitantes de las ciudades directamente afectadas se interesaban por el cuadro de Picasso, y aunque no participaran miraban con detenimiento la obra del pintor Aquello gráficamente visto representaba una línea ascendente en la popularidad de Picasso, Pablo. Una idea comenzó a surgir en la melenuda cabeza del pintor mexicano.

En Londres ofrecieron 75 000 libras esterlinas, en Los Ángeles hubo una oferta de 82 000 dólares, pero en Nueva York un millonario pujó una cifra superior. ¿En ninguna ciudad se ofrece más? Pausa. Nadie ofrece más. Golpe de mazo en una mesita ad hoc para el acto. Vendido a la ciudad de Nueva York, al señor Rolls.

México ofreció 528 dólares. Ruiz de Pérez no envió el telefonema a Roma para no quemar más al país.

La idea maduró en la cabeza peluda de Culeid. Corriendo al teléfono, le dijo a Ruiz de Pérez que él donaba un cuadro suyo para que lo subastaran a beneficio de la Basílica de Guadalupe. El diputado locutor le advirtió que la subasta era una magnífica idea, digna de los más nobles fines, pero no podría llevarse a cabo a nivel internacional por diversos problemas de orden técnico y económico. Culeid ni se inmutó: ya lo había previsto. Y se fijó un día para la subasta.

Pero veintiún pintores más (entre abstractos y figurativos) tuvieron la misma ocurrencia y decidiendo hacerse publicidad en un pueblo de catolicismo exagerado, enviaron sus respectivas obras, todas para ser vendidas a beneficio de la iglesia: sita en la Villa.

El día asignado para el religioso fin llegó, jueves por la noche, a las nueve pasado meridiano, canal 5. Los veintidós pintores no cabían de gozo y de inquietud. Qué cuadro sería mejor pujado. Cada uno estaba seguro de su obra maestra, Culeid lo estaba más. No en balde había enviado Autorretrato en azul marino. En su casa, colocados estratégicamente por la sala frente al aparato televisor, trago en mano, permanecían algunos de los miembros más destacados del Clan. Y en casa de cada uno de los pintores donantes conmovía una escena casi igual.

El programa dio principio con bonitos comerciales de cremas blanqueadoras y de Squirt, el refresco que nació en el país más sediento del mundo. Docenas de amigos y familiares de los pintores se acomodaron mejor. Ruiz de Pérez poco a poco fue mostrando los cuadros ante la cámara, con lentitud y en silencio (su desconocimiento de las artes plásticas era enorme); pero la hora del programa transcurría y las ofertas no llegaban, nadie se interesaba por ningún cuadro. El locutor diputado, nervioso, hablaba y hablaba haciendo tiempo, a veces preguntaba: ¿Ya llegó alguna oferta?, mientras la cámara en discreto close up permitía ver un cuadro en detalle.

Pasada la hora, veintidós pintores reaccionaron furiosos al unísono; ¡Qué sabe este pueblo de arte! Telefonazos a Ruiz de Pérez, veintidós para ser exactos, y al cabo de media hora, los pintores conocían oficialmente el fracaso de la subasta. A la misma hora, por el canal 4, estaban pasando a control remoto el fútbol, en esa ocasión se trataba del clásico de clásicos que enloquecía a los fanáticos del deporte: América-Guadalajara.

A juzgar por los resultados, sólo en veintidós hogares mexicanos el televisor estaba en el canal 5, viendo la subasta de cuadros. En los demás, batían las manos y gritaban impulsando a su equipo favorito.

Como ninguno de los pintores recogió su cuadro, fueron almacenados en las bodegas de Televicentro. Ruiz de Pérez se llevó un paisaje de Guanajuato de Pintor Baboso para contentar a su amante, molesta por haberlo visto en el Baile Anual de los Diputados en compañía de su esposa.

LA SEÑORA CÓTEX planeó sus actividades de fin de semana meticulosamente. Sábado en la mañana: reunión con las Damas Vicentinas que comprarían dos tractores para los campesinos pobres y sinarquistas del Bajío. Sábado en la tarde: sigue el Quinto Campeonato Nacional de Canasta Uruguaya, hizo un paréntesis; habría que permitir que lo ganara la

Primera Dama de la República, cerró el paréntesis. El sábado por la noche era el Baile a Beneficio de los Papeleros Rehabilitados; lugar, hotel María Isabel. Domingo temprano: desayuno con los Granados, el señor es candidato a gobernador por Veracruz. Tarde del domingo y parte de la noche: redactar las notitas de agradecimiento a las deidades.

Sábado en la mañana.

Sábado en la tarde.

El sábado por la noche.

Domingo temprano.

Tarde del domingo y parte de la noche. Febril actividad. La señora Cótex y unas amigas escribían competitivamente, a ver cuál nota quedaba mejor. Las iban redactando en tarjetas blancas. Luego vendría una rigurosa selección y las más conmovedoras y convincentes se publicarían (inserción pagada). Madrugada del lunes: fatiga. Rezos y descanso. Uf.

> Martincito de Porres, gracias te
> doy por el milagro concedido.
>
> J.R.

> A la Virgen de Guadalupe por haberme concedido la gracia de sanar
> a mi hijo paralítico de nacimiento.
>
> Rosita G. Vda. de P.

Gracias, monseñor Rafael
Guízar y Valencia por ha-
ber sacado a mi marido de
la cárcel.

Juana López

Padre Pro

Te agradezco el milagro de que
mi madre volviera a ver la luz del
día, hecho por intercesión de la
Virgen del Rosario.

Gloria H. Maza

Un mozo de confianza las llevaría a *Excélsior* para su publicación. El costo, como de costumbre, por cuenta de la Sagrada Mitra. Ella fue quien sugirió la aparición regular de
estos anuncios en los diarios para aumentar la fe de los capitalinos. En especial de las mujeres, base del hogar, asiento de la fe en Dios.

EL SUICIDIO de un miembro del Clan es imposible. Pero el
intento de suicidio puede darse si la persona tiene pocos
años, escasa experiencia literaria y sólo unos meses de perte-

necer a la insólita organización cultural. Este último es el caso de Elvira, que intentó suicidarse a raíz de su primer fracaso amoroso. Vaya ingenuidad, la pobre pensó que su romance con Bartles concluiría en matrimonio. Y durante unas semanas se dedicó a mirar vestidos de novia y a preguntar precios; de vez en vez también veía departamentos. Y jamás se le ocurrió que todo en el Clan es efímero.

Hubo una fiesta en casa de Bartles. Elvira supuso que en ella se anunciaría el compromiso. Después de todo, Bartles había sido el primero. Ella se entregó enamorada sin reparar en los comentarios que se hicieron fuera del grupo; comentarios sarcásticos a la forma inocente en que Elvira cayó en las garras del experimentado Bartles. La fiesta transcurrió y no se dijo una palabra sobre las relaciones. Elvira culpó a la borrachera del olvido y se dio por satisfecha cuando el director de teatro dijo públicamente que la amaba.

Elvira acababa de ingresar en el Clan y pensó que podría pedir ayuda a alguien, pues deseaba concluir cuanto antes su libro de poemas y prosas poéticas. Ese alguien fue Bartles, quien sin mayores la citó en su casa para que las clases principiaran. Ella iba en las tardes, tres veces por semana. Las primeras sesiones Elvira leía y Bartles sesudamente le señalaba los defectos y los aciertos, aprovechando su cultura.

Pero más adelante, Bartles se ponía de pie y comenzaba a dar vueltas en torno a la rubiecita. De pronto se detenía y le acariciaba el cuello. Elvira, que estaba leyendo sus poemas, se ruborizaba y en su estómago se provocaba un vacío. Esto se repitió durante dos o quizá tres semanas, hasta que Bartles comenzó a ser un poco más audaz. Ahora en lugar de acariciarle el cuello se lo besaba largamente. Ella cerraba los ojos y, por supuesto, dejaba de leer. Por último, ya no buscó el cuello sino la boca.

Bartles le había insinuado a Elvira que sus consejos podrían ser definitivos y que el libro quedaría perfecto, cosa que ella creyó o al menos fingió creer. Para entonces había roto las relaciones con su novio (estudiante de Economía y por lo tanto bastante simplista para entender los procesos amorosos, a cuya solución aplicaba esquemas económicos) y poco a poco se fue alejando de sus familiares abyectos, producto de una burguesía que nació decadente y estúpida. De sus amigos originales se negaba a saber algo; sencillamente no los quería ni ver. Sólo estaba a gusto cuando platicaba con sus nuevas amistades (sus amistades particulares, como las llamaba queriendo ser culta).

El novio economista no se daba por vencido y, en ocasiones, le hablaba telefónicamente para preguntarle: Qué tal, cómo van tus nuevas relaciones; cuándo publicas tu poemario (el cursi previamente había consultado el Librote de la Real Academia e imaginaba ser erudito citándolo). Pero las ironías elementales del futuro planificador no conmovían a Elvira. Por el contrario, le obligaban a colgar la bocina. O a advertir a las sirvientas que si era él dijeran que había ido a una conferencia de Lépiz o a una exposición de Boyd Ramírez. Las tácticas empleadas por el ex solamente lograron que se dedicara de lleno a su nueva vida. Asistía a las reuniones con Bartles. Su vida se organizaba así: Bartles, Clan, poesía, diversiones con los clanudos, clases en Letras, Bartles.

De los besos en la boca siguió lo que normalmente sucede, las manos del genio teatral exploraron el cuerpo de Elvira. Y ella se ponía excitadísima a causa, sobre todo, de su temperamento y de que antes de Bartles nadie la había tocado.

La vida de Elvira tomaba un nuevo y maravilloso sesgo: estaba enamorada. Para ella, Bartles era el Maestro, un gran director de teatro, superior a todos. El gozo no podía ser mayor. Cuando se le entregó, una tarde, después de una lectura de Byron, oyendo música barroca, se sentía una heroína, una especie de Madame Bovary que sí era dueña de la clave para ser feliz. Después, Bartles, más amable que de costumbre, fue a dejarla a la Universidad y en el trayecto elogió largamente sus poemas y le habló de las posibilidades de publicarlos en plazo muy breve. Esa noche Elvira apenas si prestó atención a su clase. Bartles, en cambio, al contar los detalles de su acto sexual, comentó sardónicamente: Sí, era virgen.

En adelante, las sesiones en casa de Bartles eran diarias. Pero apenas leían alguna cosa breve. Todo era hacer el amor. En cuanto Elvira entraba en el estudio, aquél la despojaba de su ropa. Así estuvo la situación durante varios meses. Luego el director genial se dedicó a enamorar a otra jovencita; ahora una pintora que requería los consejos de un experto. Por tanto, se negó a seguir siendo el asesor literario de la joven poetisa. El desengaño al saber que Bartles no pensaba casarse ni continuar sus relaciones con ella, fue enorme: una profunda decepción la sobrecogía. Tomó una decisión dramática: suicidarse, pero suicidarse en una forma en que Bartles se sintiera atormentado, ésa sería su venganza.

Lo pensó largamente. No tenía la menor idea sobre cómo hacerlo. Llegó al grado de consultar las páginas de los diarios para imaginar alguna manera que no fueran los balazos, los puñales o los saltos desde algún edificio de varios pisos. Ya no le fue difícil pensar en barbitúricos.

A la fiesta que dio Culeid por la venta de su autorretrato número 608, Elvira llegó demudada, pálida, nerviosa, vestida de negro, con una carta de despedida (no se culpe a nadie de mi muerte/ no pudo encontrar mejor redacción: estaba muy agitada para buscarla). Mecánicamente bailó un poco. Rolando intentó que conversara, pero no pudo. Estaba dedicada a beber y a lanzarle miradas feroces a Bartles, quien le explicaba a su nueva conquista cuáles eran los trazos fundamentales del autorretrato. Cada vez estaba más convencida de lo que iba a hacer. Con toda la rapidez que le era posible apuraba rones en las rocas. Se sentía mareada (ya eran tres días los que llevaba sin comer). De improviso se dirigió al baño. En su bolsa transportaba los mortales barbitúricos. Cerró con llave. Hasta ahí penetraba la música. Cantaba Louis Armstrong. Mientras abría la bolsa y localizaba un vaso, pensó en la distintas reacciones que iba a provocar su muerte; en la tristeza llorosa de Bartles, en su arrepentimiento. Creyó ver los encabezados de los periódicos: Elvira Flores, la joven promesa de la poesía se privó de la vida a causa de una decepción amorosa. Como en los viejos tiempos, una bri-

llante poetisa se suicidó/ Después de haber ingerido los barbitúricos, al sentirse desfallecer, buscó asiento en el sanita-
rio. Al hacerlo advirtió que era marca Demócrata. Antes de
perder el sentido oyó los toquidos y los gritos de Magdalena y Nora pidiendo ayuda. Culeid y Rex forzaron la puerta
(Bartles estaba en el jardín hablándole a la pintora del concepto novoimpresionista en el teatro de vanguardia). En el
suelo estaba Elvira. Con la boca llena de espuma. ¡Ha muerto!, gritó aterrado Culeid, aunque en el fondo regocijado por
la publicidad que le darían las investigaciones policiacas. ¡Ha
muerto!, gritaron los miembros del Clan e invitados que se
amontonaban en la puerta del baño, pensando en un tema
para sus próximas obras. Nadie acertaba acercarse al cuerpo
inanimado. Algunos conjeturaban sobre el tipo de veneno empleado por la occisa. Louis Armstrong seguía cantando. Ruperto hizo a un lado a las multitudes y se encuclilló
sobre Elvira. Analizándola con detenimiento y viendo las
envolturas de los barbitúricos, diagnosticó. Métanla en la
cama y pónganle una bolsa con hielo. Cuando le preguntaron ansiosos: ¿No está muerta? Ruperto dijo sin ninguna emoción, fríamente: Nadie se muere tomando seis mejorales y
tres alka-seltzers. Se desmayó de hambre y de borracha.

EN EFECTO. Ya varios han dicho que hace falta ser más se-
lectivo. Últimamente han entrado uno o dos tipos en el Clan
que no tienen mayor talento ni grandes méritos. Incluso se
teme que resulten espías de la UMIN. Se les vigila estrecha-

mente. Pero no basta. Hay que reformar los Estatutos y rehacer las solicitudes de ingreso. Además hay que integrar el Comité de Aceptación, cuyas funciones serán estudiar e investigar a cada escritor que desee ingresar en nuestra organización.

Por lo que atañe a los Estatutos hay que modificarlos, salvo que Ruperto diga lo contrario, cosa que no es probable, es de las gentes que siempre se están renovando, a cada día, a cada rato. Pero alguno debe decirle que los Estatutos redactados por él necesitan corregirse.

Las solicitudes de ingreso son cosa fácil. Hace poco así lo dijo Benavides delante de Ruperto, quien estuvo de acuerdo. Debe ser por el caso que denominamos Z-354. Y cuyo error nos pertenece a todos por completo, con la excepción de Ruperto. Nosotros dejamos pasar la solicitud y con las prisas de Ruperto por salir a La Habana firmó cuanto papel le pusimos enfrente. El caso Z-354 fue una lamentable experiencia. No volverá a repetirse. En una fiesta que hubo en casa de Rolando, una niña extraña y feíta se acercó a Benavides para pedir que la aceptaran en el Clan. Benavides le hizo entrega de la solicitud y fue advertida que necesitaba, como requisitos fundamentales, las firmas de dos miembros del Clan y una obra respetable, aunque fuera inédita. La gorda ésta, en la misma fiesta ligó a Cafarel y a Rolando, quienes luego luego le dieron sus firmas, estaban tan borrachos que supusieron se trataba de autógrafos. Primer error. El segundo fue la prisa de Ruperto para ir a Cuba y la hueva nuestra de no leer su currículum vitae y sus libros adjun-

tos. Te lo voy a leer en partes. Nací en Guadalajara en 1945.
Mis estudios primarios y secundarios los hice en la Escuela
Hijos de la Virgen de Zapopan. Mis padres deseaban fer-
vientemente que yo fuera monja. Y sólo tras de muchos re-
gateos, consintieron en enviarme a México a estudiar para
educadora. En la Escuela Nacional de Educadoras descubrí mi vocación, mi real y verdadera vocación: la poesía. Ya
antes, en Guadalajara, gané algunos concursos escolares pa-
trocinados por la Compañía del Sagrado Corazón de Jesús.
No le había dado, sin embargo, oídos a mi vocación poética y fue necesario que Dios nuestro Señor me lo advirtiera
por medio de algo que fue grandioso: obtuve el primer lugar en el concurso de la Secretaría de Educación Pública ti-
tulado Frases a la Madre. Aunque el premio consistió en un
lote de libros de texto gratuito, me ayudó a ver mis posibilidades en la metáfora y en la rima (no digamos ya sobre el
contenido). El propio ministro de Educación me hizo entrega del lote y al hacerlo me dio un abrazo muy fuerte. Me
dijo, además, que yo llegaría a ser la sor Juana Inés de la
Cruz del siglo XX. Estimulada por tan estimulantes suce-
sos/te fijas, cuate, estimulada por tan estimulantes sucesos/
provenientes de mi talento literario y de las palabras de tan
grande señor/ carajo, bueno, sigo/ continué en la habitual
tarea de versificar. Mucha sencillez y mucha belleza es mi
lema. Estuve dedicada al soneto, a las octavas reales, a las re-
dondillas, etcétera (adjunto dos mil ejemplos de mi poesía).
A los tres meses, con un poco de miedo probé suerte y en-
vié material al concurso de *Excélsior,* Los grandes del cris-

tianismo. Para mi fortuna, y con la ayuda del Señor, gané el primer lugar. Una vez más mis esfuerzos poéticos eran premiados; ahora la recompensa fueron la publicación de los versos y mil pesos en bonos del ahorro nacional pagaderos a la vista, mismos que entregué totalmente a mi confesor.

(Voces de no es posible, qué mujer, vaya descuido.)

Como ustedes pueden ver, señores del Clan, en mi currículum hay tantos premios de importancia. Mi bibliografía cuenta con dos volúmenes de poesía (editados por Costa-Amic) y tengo en preparación un extenso poema (alrededor de mil doscientos versos) dedicado a los mártires sacrificados en Japón por propagar la fe cristiana, en especial a Felipe de Jesús. Supongo que mi ingreso en el Clan puede ser de amplio beneficio para ustedes, pues creo contar con la fuerza de mi fe para ayudarlos a salir de su vida crapulosa y pecadora. Mi poesía fortalecerá sus espíritus; juntos podremos aspirar a una vida mejor, al lado del Señor. Los llevaré a misa/

Ahí le paro. Como dice, adjunta ejemplos de su obra poética y todo está en regla, incluso las fotografías. Imagínate. En la primera sesión a que asistió la Loca Creyente, pidió la palabra y sermoneó al Clan, dijo que nos íbamos a condenar si insistíamos en vivir lejos de Dios; que nuestro comportamiento no correspondía a nuestra calidad de intelectuales, que pusiéramos nuestras plumas y pinceles al servicio de mejores y más altas causas, ya supondrás cuáles; que si deseábamos ir al cielo tendríamos que cambiar nuestra pecadora vida, y cosas por el estilo. Nos reunimos en petit comité para discutir el caso Z-354. Todos estaban enojadísimos. Dispuestos a correrla a patadas. Pero, ¿cómo expulsarla del Clan? Había pagado su cuota de admisión y sus papeles estaban, como dicen en las aduanas, en regla y en orden; firmados y sellados, perfectamente legalizados por la firma de Benavides y con el Vo. Bo. de Ruperto. A Rex se le prendió el foco y dio con una solución ideal para ahuyentar a la cristiana: esperar la próxima fiesta para que se asustara con el degenere y presentara su renuncia al Clan con carácter de irrevocable. Rex señaló con agudeza que la sola pachanga no la haría desistir sino al contrario, sus intenciones de redimirnos aumentarían, su vocación era de mártir. Y sugirió que Boyd se la ligara, él que era un perfecto hombre feo y maniático sexual reprimido. Hubo dificultades para convencerlo: la joven poetisa cristiana era deplorable y su cara una invitación al suicidio inmediato: piernas flacas, trenzada, prieta, con granos en la cara, anteojotes, toda cubierta por unas enaguas del tiempo de María Conesa en su primer aire. Una verdadera garra. No obstante, Boyd accedió. Todo sea por el Clan, dijo, se persignó y ni modo, antes tuvo que beber como náufrago.

Como esperábamos, la muchachita salió huyendo de la casa con el vestido desgarrado y con Boyd atrás gritándole: ¡No corras, te voy a violar, detente, no corras! Fue una escena inolvidable. Boyd fue propuesto para un homenaje en el Can-Can, y de la poetisa supimos que por fin accedió a los ruegos de sus amorosos padres y entró en un convento para desposarse con el Señor. Desde el caso Z-354, las solicitudes de ingreso son estudiadas con sumo detenimiento. La regañiza que nos dio Ruperto fue ejemplar.

Regueiro sentimental. No escucha el escándalo de su alrededor. Le cuenta a la pobre Magdalena todo lo mucho que ha sufrido por causa de las mujeres y por la incomprensión de la crítica literaria hacia sus obras. Le confiesa a Magdalena, que ha mostrado un aguante doble por lo que al alcohol se refiere, que odia a los editores porque ninguno jamás se interesó en publicar mis genialidades, mis obras de arte incomprendidas. Son unos literatófagos. Por eso, mi sociedad (él y su hermano) entendiendo la relación editor-escritor como inhumana se dedicó a atacarlos para bien del libro mexicano. Me dicen el Apóstol del Libro Mexicano. Lo soy. Buena parte de mi vida he encauzado escritores y orientado a los editores y a los libreros que desean cooperar al desarrollo cultural del país. Regueiro sigue así un rato, hace hincapié en sus actividades patrióticas, se cita y se vuelve a citar. Le dice a Magdalena todo lo que le debe el pueblo y sus hijos también. Aclara que sus hijos le adeudan el apellido. Poca cosa, eh, nada menos que mi apellido, ilustre y de abolengo cultural. Yo estuve en La Habana. Hice esto y esto. En Europa hice lo otro y destaqué mucho. México no tardará en reconocer su errar y para repararlo me hará un grande de la literatura, de la historia, de la política. Lo que soy. No le pido nada a nadie. Simplemente que reconozcan mis méritos. Mi prestigio es tremendo. Todos me conocen. Mis hijos viven de mi nombre. Todo gira a mi alrededor. Soy el ombligo del mundo. Es extraño que algunos no acaben de entenderlo. Por eso escribo ensayo, cuento, novela, poesía, para que mis biógrafos sufran buscando los datos del Regueiro ensayista, del Regueiro novelista, del Reguiero poeta. También he sido periodista. Yo propuse esa idea. Y la otra también.

Magdalena empieza a fastidiarse.

Regueiro la mira fijamente, clava sus lentes en los ojos azules de Magdalena. Vamos a bailar. Vente. Se paran y bailan. Mongo Santamaría. No importa. Lo bailan como blues. Regueiro se agacha sobre Magdalena y con música de Lara, curiosamente mezclada con Manzanero, le da a Caignet tema para una novela. Yo soy rico. Pero no siempre lo fui. Cuando joven era tan pobre (bohemio, mejor) que a cada visita —amigos o familiares—, tenía que salir a los otros departamentos a conseguir prestadas sillas, café, azúcar, focos, cubiertos. Sólo poseía una mesa donde escribía y varias cajas de jabones en los que desordenadamente se alojaban mis libros y mi colección de discos, en lugar de cama tenía un catre viejo en el que dormíamos mi esposa y yo. Para descansar mejor cuando estaba borracho, a ella la bajaba al suelo o la mandaba con su familia. Padecí mucho. De tal forma, que ahora estoy decidido a seguir obteniendo dinero. Total, el marxismo predica la igualdad, no la pobreza. Esa hay que dejarla al buen religioso, al cristiano ejemplar. Con dinero puedo ayudar a las causas de izquierda nunca les he negado dinero cuando me lo piden, ¡qué tal!, concluyó orgulloso ante una Magdalena mecánica.

SÓLO BERRIOZÁBAL puede decir cosas ajenas al arte. Qué extraña deformación. No obstante, las personas que estaban en el mitin literario de RB aplaudieron mucho. En especial las palabras que dedicó al imperialismo estadounidense. Ni modo, así es él, qué le vamos a hacer, si no fuera genial nadie aquí le permitiría esos absurdos. (Como sea, siempre me he mantenido dentro de las ideas políticas más avanzadas y en contra de lo caduco, de lo obsoleto. En lo nacional, estoy en contra de la burguesía y en contra de una visible democracia de cartón, de una democracia-representativa-popular, entre comillas. En el campo internacional estoy completamente en contra del imperialismo estadounidense que es el apoyo de las oligarquías; sin él se vendrían abajo ante la presión popular, ante la lucha armada. Estados Unidos es el factor que obstruye el desarrollo del proceso revolucionario, es el que sostiene a los militarotes, a los terratenientes y en general a los grupos más reaccionarios del mundo. Estados Unidos es el país que ha privado de la libertad a la mayor parte de los pueblos del Tercer Mundo. Su injerencia es nefasta.)

REX TENÍA buen caudal de anécdotas para sus cuentos y novelas. Toda una larga lista de posibles ideas para dedicarse a lo suyo. Durante su adolescencia, tuvo una serie de amigos con los que hizo cosas que le estaban vedadas por el buen nombre de los Cótex. Cosas que, por supuesto, otros adolescentes ya habían repetido varias veces.

Entonces eran los fabulosos tiempos de Gene Vincent, de Ricky Nelson, de Fats Domino, de Bill Haley, de Little

Richard, de los Everly, de Buddy Holly, de Chuck Berry, y
del sensacional Elvis Presley. Rex, a pesar de las insistencias
familiares, no escuchaba música típica como corridos y can-
ciones rancheras, los tríos le enfermaban el estómago y los
sones tropicales lo obligaban a vomitar. Unas cuantas pio-
neras del radio transmitían música moderna. Eran los tiempos heroicos del rock. Eran los tiempos en que no existía
—exitosamente— el atroz plagio llamado rock en español.

Gracias a sus amigos, el joven Rex se acercó al nuevo ritmo, con algo de atraso, pero con entusiasmo.

A ninguno del grupo de Rex le faltaba coche y dinero.
Sin embargo, jóvenes al fin, necesitaban emociones fuertes
y más dinero. Así es que planearon un asalto para asegurarse
uno o dos meses de lana en abundancia. La víctima sería el
arquitecto Vera; el Arqui, como le decían sus mayates. El
Arqui era un señor maricón con mucho dinero, que asolaba
buena parte de la capital y sus dominios quedaban compren-
didos entre la del Valle, Narvarte, Álamos, Villa de Cortés,
Postal e Ixtaccíhuatl. Consideraba que estos rumbos estaban
plagados de muchachos guapos y susceptibles de ligarse a
cambio de alguna remuneración. Sin que por ello dejara de
atacar colonias como la Roma y la Cuauhtémoc. El Arqui
impedía que otros homosexuales trabajaran esa zona y a varios que lo intentaron les echó tremendo flotón de leales.
Este señor escogía a los mejores chavos (así se refería a sus
amantes o posibles), los paseaba y los llevaba a su casa de
Acapulco. Era apasionado de la ostentación, quizá por creer
que de esa forma caían más fácilmente los jovencitos, lo cual

era bien cierto. Se vestía a todo dar, traía un convertible último modelo (Ford) y en la parte trasera se jactaban a ladridos dos estupendos bóxer de considerable talla. Y siempre, en el asiento delantero, un chavo iba feliz y orgulloso de andar con el Arqui, sin temor a la quemada. Unos cuates de la flota de Xola y Tajín eras sus favoritos; cuates broncudos, caritones, vestidos a la moda gringa. Puro tipazo, como decía el Arqui, todanos. Su fama de ligador estaba perfectamente bien fundada. Y la mecánica que tenía para conseguir carne juvenil masculina era de lo más eficaz. Los conseguidores nunca le fallaron (al fin sacaban buena lana). Siempre un chavo diferente por día y ninguno repetido en la semana. Sus mayatones lo describían así: Fuerte, algo rostro, viste padrotísimo, trae una melena a todo dar, generoso con los cuates: los ayuda siempre. Él se dejaba querer por sus chavos (que nunca andaban con otro marica aunque ofreciera mejor precio; la lealtad al Arqui era inconmovible; nunca traiciones). En Acapulco, por ejemplo, solía frecuentar las playas de moda, en ese entonces Caleta en la mañana, Hornos por la tarde, con un grupo selecto de sus huestes rodeándolo: él, orgulloso, con sus perros al lado oía platicar a sus amiguitos y sólo los interrumpía para hacerles aclaraciones pertinentes. El buen whisky no faltaba y en música estaba al tanto de lo que sucedía en los Yunaites. El espectáculo que presentaba el Arqui con sus perros y sus chavos producía envidia a docenas de hombres y mujeres que se asoleaban sexualmente en las playas.

Rex, como anteriormente todos sus cuates, había sido vendido al Arqui por el Chaparro César, quien antes fue el número uno en la amplia lista del ligador de adolescentes. El Chaparro, al momento, estaba convertido en el principal proveedor de carne que tenía el Arqui.

Una vez, Rex estaba platicando en la nevería Carola con varios de sus amigos cuando llegó el Chaparro a buscar carne para esa tarde; el Arqui aguardaba paciente en su convertible acompañado de sus perrazos. Rex, en vista de que todos sus cuates ya habían pasado por la camita del degenerado, se animó sin mayores problemas ni titubeos.

En Carola se hablaba frecuentemente del Arqui, incluso delante de las muchachas. Fue por esos días cuando al Tamal se le ocurrió asaltar su casa. Todos habían observado que allí (Xola y Quemada) guardaba muchísimos objetos de valor y plata en efectivo: fajos de billetes de donde sacaba para pagar a sus mayates. Rex ayudó a perfeccionar el plan que los haría ricos o al menos les permitiría ir a Acapulco unas semanas en plan grande. Los cuates, al contrario de Rex, eran temibles para los madrazos y bien aventados para cualquier onda; esto le daba ánimos para seguirlos en sus broncas y en sus aventuras. Ninguno se echaría para atrás, en el grupo no existían los sacones. El asalto fue planeado en Carola. Esperaron la salida de Meche y Schere y de algunos de los del billar que no eran de confianza, para iniciar el trazo del plan macabro. De asaltos ignoraban todo, sin embargo, habían visto algunas películas y escuchado pláticas de esa índole entre la gente de la flota grande. Además, el Tamal traía pistola en la cajuela de su Fiat. Y el resto, salvo Rex, cargaba navajas y cadenas, según sus preferencias.

Luis echó veintes en la rockola y a la sorda le aumentó el volumen: *Lonesome train* del maestro Johnny Burnette. Se trataba, en síntesis, de que dos muchachos se dejaran cachondear por el Arqui, mientras que otros por la azotea (consiguieron reproducir la casa y las de junto mediante planos rudimentarios pero buenos para el caso) arrojarían carne envenenada a los perros. Jaime propuso que fuera cianuro y fundamentó largamente (sin conocer ni sopa de venenos) al respecto. Una vez muertos los bóxer, los que cachondeaban con el putarraco lo pondrían out con cloroformo. Jaime volvió a intervenir citando una conversación con un médico sobre las posibilidades de encontrar narcóticos más efectivos. Una vez dormido el Arqui, les abrirían a los restantes y entre todos iniciarían el saqueo. Javier sugirió, sin dejar de limarse las uñas con su navaja de botón, que se atara al Arqui para que no diera el pitazo a la policía. Mejor lo matamos, dijo tajantemente Raúl. Proposición rechazada. Aquí volvió a intervenir Jaime para indicar que él sabía de una droga que hacía dormir a las personas durante una semana completa, tiempo más que necesario para poner en acción un plan de fuga adecuado. Ultimando los detalles (adquirir el cloroformo, el cianuro, las cuerdas, los coches, etc.) salieron de Carola sin terminar sus cocas, mientras se escuchaba la voz de Gene Vincent: *Be bop a Lula*.

La cita se hizo para el día siguiente. Todos en sus coches frente a Carola. Luis y Raúl entrarían con el Arqui, es más, ya estaban citados. Había que tener cuidado con los de Tajín y con los de Morena; eran leales al Arqui y si se enteraban podría armarse una bronca de flotas. La reunión era a las seis y media de la tarde, hora en que se iban las muchachas. Raúl pensó que ahora sí Atala se fijaría en él, dejando de mirar a los grandes: estaba a punto de convertirse en héroe de la colonia. Jaime fue a despedirse de Moza. Javier afiló la navaja cuidadosamente. El Tamal cargó su revólver 22 y lo limpió. Rex, que aún carecía de novia, se limitó a pasar frente a casa de Blanca.

A la hora de la cita, Carola estaba lleno. Meche y Schere esperaban ver a alguno de los muchachos. Nadie apareció por allí. Schere habló a casa de Luis y de Raúl: ambos estaban gravemente enfermos, según dijeron. Todo el grupo de amigos había enfermado de súbito, quizá por algo que habían comido y que les dañó el estómago.

Una semana después, ya recuperados, volvieron a Carola. Las disculpas entre sí menudearon y todos juraron creerlas. Jaime dijo que no pudo llegar a la cita porque para probar su eficacia ingirió la droga que adormece durante una semana y quedó dormido un tiempo semejante. Nadie, por supuesto, habló de fijar nueva fecha para el asalto. Y para conseguir dinero (se acercaban los quince años de María de Jesús) comenzaron a mayatear con el Arqui desesperadamente y a verlo con mayor frecuencia.

ENCIENDO EL cigarro, el último que me queda. Apuro mi jaibol. Voy por otro y dejo a Riveroll discutiendo con Férez sobre las posibilidades de llevar al teatro Noh al cine. Los negros, con el torso descubierto, mueven los hombros al compás de la música y de las palmas de Rosicler, Julieta y una docena de babosos que lo imitan desde que empezaron a jugar a las personas de mundo. Los negros sólo se detienen para beber. A pesar del poco tiempo que llevan en la fiesta han ingerido un buen número de cubas; bueno, estaban atrasados. Yo me siento borracho. Me sirvo otra copa. Los gritos de Julieta me ponen de mal humor; ojalá bajara el tono. ¿En dónde estará Nora? Me gustaría hablar con ella. Es muy bonita. Me gusta su modo de ser. Es agradable. Muy agradable. No tiene pretensiones de mujer culta y genial, defecto de cualquier mexicana que lee un poco y escribe otro poco. Sí, está oyendo a Ruperto. Menos mal. Ojalá viniera para acá. Así tendría oportunidad de hablarle. No sé cómo empezar. Oye, leí tus últimas críticas. No. Carajo, es un lugar común descomunal. ¿Qué estás escribiendo, Nora? O quizá: Fíjate que unos amigos están haciendo una revista y quieren una colaboración tuya. Bueno, esto es más tolerable, menos idiota. Si da resultado puedo seguir conversando con ella. No me explico cómo muchos ignorantes babosos tienen acceso a ella, son sus grandes amigos, la visitan, salen con ella. Y yo nada, es la hora en que apenas nos saludamos. Estoy seguro de que no sabe quién soy. Nos han presentado tres veces y siempre: Mucho gusto. Encantada. Pero mi cara le es familiar, por eso me saluda. Cómo me gustaría hablarle. En cuanto salga mi novela le regalaré personalmente un ejemplar. Es buen pretexto. Si al menos Rosicler y Julieta dejaran de berrear un poco y le bajaran al tocadiscos. Mejor me serviré otra copa.

OCTUBRE 23

Hoy estuve con el elocuente Hacedor Publicitario y de Literatura Ruperto Berriozábal; es extraordinario. Parece saberlo todo cuando habla. Cuando escucha parece ignorarlo todo. Es increíble su dominio sobre las personas.

En unas cuantas semanas daré por terminada mi novela sobre el Clan y cuyo título es *El Clan*. Los misterios y horrores de este grupo que ha conmocionado al mundo, por primera vez al alcance del lector. En el libro se d-a-n las claves para que sea posible seguir la laberíntica existencia de esta Mafia SUPRADESARROLLADA.

Antes de entregar a mi editor el original, voy a entregárselo a Riveroll y Cafarel para que le den una leída y una corregida al Críptico Lenguaje. *El Clan* es dueño de mi mejor humorismo y mis sesudas reflexiones sobre la cultura y quienes la producimos. Allí están Ruperto Berriozábal y Benavides, no falta Julieta O'Jaldra ni Cafarel ni Rolando Bespis, el desconcertante Pedro Guía se mueve por las tres mil páginas inéditas, Carlos Ponce se deja ver como el Gran Prospecto Poético. Culeid cuenta sus secretos pictóricos, cómo concibió la serie de autorretratos, cuál es la técnica de los murales efímeros…

RB Y ALGUNOS muuuy importantes del grupo no conocen la novela: será una enorme y metafórica sorpresa.

Por cierto, se acerca la charla autobiográfica de Berriozábal. Qué angustia tener que esperar hasta ese momento. Hace unos días telefoneó para recordármelo. ¿Cómo iba a olvidárseme? Su charla será un documento para el pensamiento intelectual y filosófico del país (ojalá pueda insertarla en mi novela, así saldrá más espesa) y un documento de inapreciable-valor-místico-universal. Seguro estoy de que el espanglish será traducido a decenas de idiomas y de dialectos. En el próximo Banquete Literario daré a la publicidad los tres-mil nombres de amigos y conocidos que, por razones de espacio, no pudieron ser incluidos en la primera novela sicodélica escrita en castellano; esto es, en mi genial Collage.

Interrogante: ¿Me mencionará Ruperto en su charla?

Descífrese: R.

EL MÚSICO folklórico ha surgido como una necesidad imperiosa de la cultura mexicana. Debe fortalecérsele. En especial ahora que aparecen músicos que tratan de imponer modalidades que no son las que corresponden al país: el jazz, la bossanova, el rock and roll, el twist, etc. Los clubes nocturnos ya no tocan música mexicana. Puede decirse que los mariachis callaron. La serenata y el gallo han perdido su mexicanidad; los jóvenes prefieren llevar un conjunto de rock en lugar de un trío. Las estaciones disqueras se regodean poniendo música extranjera.

Si en pocos países existe un folklore tan rico y maravilloso, tan lleno de color, de ritmo y de poesía, por qué vender el alma al diablo aceptando cosas que pertenecen a otros.

[ESTUDIÉ EN la escuela de la vida, aprendí música primero tocando un cilindro, luego siendo mariachi, por último
tocando la guitarra y cantando en un trío, no era tan bueno
como Los Panchos, pero le ejecutaba con harto sentimien-
to. Del Conservatorio nunca quise saber nada, pura cosa extranjerizante: música alemana, inglesa, italiana, de autores
con nombres en otros idiomas. Para qué sirve eso, aquí tenemos grandes compositores, compositores anónimos que
no buscaron la gloria personal, sino la felicidad de nuestro
pueblo al crear una rica tradición musical. ¿Intérpretes? Y
que no dicen nada los nombres de Agustín Lara, de las Her-
manas Águila, de Jorge Negrete, de Pedro Infante, de Javier
Solís, de Lola Beltrán, de Amalia Mendoza. Nuestros tríos
y cantantes han dado la vuelta al mundo triunfalmente, así
como nuestros bailes y composiciones. Yo por lo pronto me
dedico a la cantada de corridos y de boleros rancheros. Pero
ambiciono mucho más para bien de mi patria querida: anhelo
dirigir la Típica de México y componer música de la buena,
de la que hace gritar a los mexicanos de alegría, de dolor o de
puro gusto.]

EL ARTÍCULO DE Ortiz Leal* señala y pone en claro ciertos
aspectos de la problemática revolucionaria del país. Dice
que cuando se haga la revolución, ésta saldrá de Las Lomas

---

*   "¿Quiénes harán la revolución en México?", *Revista de la Univer-
     sidad,* número de septiembre de 1966. pp. 10,11, 12, 13,14,15,
     16,17,18,19, 20, 21, 22, 23, 24y 25.

o del Pedregal de San Ángel. Apoya sus puntos de vista en las ideas de un conocido catedrático universitario. Parece una herejía, sólo que bien analizado el artículo su agudeza es notoria, así como en todo momento la penetración sociológica es visible. Ortiz Leal dice que a pesar de que la literatura de izquierda está dirigida a las masas, a los grupos populares, éstos no son sus consumidores; los consumidores son elementos de la burguesía media y de la alta burguesía. Los obreros, señala, en lugar de gastar en el *Manifiesto Comunista,* prefieren comprar unas cervezas. Imposible hablar de *El Capital* cuyo precio y complejidad lo ponen fuera de la órbita de las clases menesterosas. Hace notar que la incultura y el analfabetismo —mediante estadísticas, cifras y ejemplos demoledores— de los obreros y campesinos impide que lean sus obras de tanta envergadura. El marxismo es muy complejo, advierte Ortiz Leal en su artículo. En México, los sectores obrero y campesino son reaccionarios aunque su propia naturaleza los suponga revolucionarios. El obrero es tan reaccionario como el capitalista que lo explota. La diferencia estriba en el grado de conciencia: el primero es consciente, el segundo ignora el papel histórico que tiene asignado. En cambio, prosigue el elegante Ortiz Leal, el burgués ha estudiado y tiene los elementos necesarios para comprar, entender y asimilar la literatura de izquierda. Hablamos de ciertos burgueses, aclara OL, los que son progresistas. Estos burgueses que tienen acceso a la educación y a la cultura son los llamados (y aquí está citando al catedrático universitario) a dirigir la próxima revolución. Revolución que sin duda provendrá de alguna residencia situada en una elegante colonia o de un chalet en Acapulco o en Puerto Vallarta. El filósofo marxista pregunta: ¿Qué revolucionario ha sido inculto (se refiere al líder)? O más claro: ¿Qué dirigente revolucionario ha salido de las filas del proletariado? Y finaliza; estamos ante una de las grandes paradojas de México.

Nota: El artículo de Ortiz Leal se incluirá en su libro de próxima aparición: *Paradojas mexicanas*.

EL COMITÉ EJECUIVO DE LA SOCIEDAD DE
ALUMNOS DE LA ESCUELA CIENCIAS- POLÍTICAS Y
SOCIALES SE COMPLACE EN INVITAR A USTED Y A
SU APRECIABLE FAMILIA
A LA
CONFONTACIÓN DE PENDEJOS
ENTRE
JORGE DOMÍNGUEZ Y ORTIZ LEAL.

ENTRADA LIBRE

"Por mi raza hablará el espíritu",
José Vasconcelos.

El tema a tratar, señores y estudiantes, maestros y damas, será el destino revolucionario de México. El encuentro es interesante, ya que ambos contendientes sostienen personales teorías al respecto. Tiene la palabra el senador Domínguez.

(Aplausos.)

—No, no —expresa Rosicler enfadado—. I don't agree, I don't agree. A mí no me parece un símbolo del capitalismo. Muchas veces ha entregado dinero para obras de beneficio populár. ¿O todos los capitalistas cometen acciones semejantes?

—Pues insisto —advierte Riveroll—; para mí es un abyecto símbolo capitalista. Lo que pasa es que Rosicler no ha profundizado en el tema.

—¿Y tú sí? —violento le responde Rosicler.

¡Claro que sí!

Alexandro interviene para apaciguar los ánimos que amenazan exaltarse.

—Calma, muchachos. Me parece que discutir sobre ese tema no conduce a ningún sitio. El personaje es superficial ex profeso. No tiene intenciones de caracterizarse de tal o cual forma exactamente. Pero —señala Riveroll— tus afirmaciones sólo evidencian cierta simpatía a las causas de los desarrapados y un odio gratuito hacia los Estados Unidos. ¿No es así?

—Yo no odio a los Estados Unidos, me molesta su política internacional. Lo demás me parece maravilloso. Y por lo que atañe a Rico Mac Pato, creo haber fundamentado exhaustivamente: es un típico capitalista , con sus mezquindades y sus egoísmos. Lo que ustedes señalan como ayudas, son limosnas. En cambio, otros personajes como Lulú, Donald, Tribilín, Tribi en especial, Mickey, son capaces por sí mismos de representar la conciencia social, la solidaridad humana.

Las personas pasan en torno a la mesa redonda. Unas llegan de Europa, otras van para América del Sur. Y todos cargan equipaje. En ocasiones, alguien se detiene a escuchar el debate, pero nada más un momento. El movimiento en el Aeropuerto Internacional es importante.

Julieta y Breques, que casi no han intervenido, piden la palabra simultáneamente. Alexandro se la concede a ella.

—Estoy segura de que si analizamos, por ejemplo, cómics como *Supermán* o vemos tiras como *Terry y los piratas*, nos podremos dar cuenta de que son terribles armas para defender la nefasta política internacional estadounidense. Supermán acaba en dos por tres con Fidel Castro, Terry frena la expansión comunista en Asia. A mi juicio, el tío Rico no es sino una imagen inofensiva; eso sí, representativa de la mentalidad del pueblo norteamericano. Y si se quieren ver implicaciones políticas en esos cómics, habría que analizar a Walt Disney y a su obra desde un principio hasta su muerte, sin omitir sus películas y su parque de diversiones. Insisto: no creo que existan implicaciones políticas en los cómics de Disney. Hay, claro es, un afán de divertir conforme a los cánones de la mentalidad media norteamericana y nada más. En todo caso el peligro está en los personajes citados. No falta

el paterfamilia retrasado mental que le cuenta a su pequeño
hijo cómo el malvado peligro comunista ha sido detenido
por Supermán; o que Terry, en su poderoso jet de manufac-
tura estadounidense, derriba a diario treinta máquinas tipo
Mig 21 tripuladas por horribles comunistas, de ojos rasga-
dos, dientes afilados y babeando sangre.

Breques aplaude sonriente a Julieta por su intervención:

—Bien for yu, amiga.

Ella agradece con una leve inclinación de cabeza. Mientras
la gente sigue pasando por allí, mirándolos con curiosidad
morbosa y los aviones siguen saliendo y llegando, Alexandro
le concede la palabra a Breques.

—Deseo hablar de Batman y de su compañero, el joven
Maravilla. Ellos significan el triunfo de la onomatopeya. Antes quiero hacer una aclaración a la compañera que me ante-
cedió en el uso de la palabra. El hecho de que un padre de
familia tarado, oficinista sin duda o algo equivalente, le cuente a su hijo aventuras semejantes, únicamente nos indica
que el señor pese a su franca estupidez vive en esta época.
Sería ridículo que el baboso papá le contara a su no menos
imbécil hijo un cuento de hadas en donde los valores están
perfectamente clasificados: el bien, representado por el prín-
cipe y el mal por una terrible bruja o un dragón o un caballero envidioso que rapta a la damita. Como diría yo, los cuentos
para niños también deben estar en razón directa con la época. Así que no es de extrañar que una madre de clase media arrulle a su niño cantanto *Paint It Black* o que el niño
antes de dormirse exija que le cuenten la última aventura

de Flint. Claro, esto suponiendo que no estuviéramos en México o que México fuera un país avanzado.

Ahora Breques habla de Batman. La discusión se prolonga. Son las once de la noche. El aeropuerto tiene aún constante actividad. Voces mecánicas señalan horas y rutas. Dan números inaudibles. Aviones que aterrizan, que despegan. La mesa redonda continúa a pesar de las incomodidades. Rolando expone su novísima teoría sobre la intención cultural del cómic. Hace alarde de un cúmulo de lecturas. De pronto, ruidos y gritos interrumpen su disertación. Rosicler se levanta y camina unos pasos en dirección al barullo. Al desandarlos dice:

—Compañeros, propongo que la mesa redonda se suspenda a causa del ruido ensordecedor. No se puede oír casi nada; ni tampoco puede uno concentrarse en el tema.

Aprueban. Alexandro notifica que la próxima mesa redonda será en Chapultepec, en la Casa del Lago. Y concluye advirtiendo el tema: —Sociología del cómic mexicano.

Murmullos de aprobación y una voz de qué a todo dar. Recogen sus revistas y avanzan hacia sus coches. En dirección contraria, casi chocando con ellos, pasa un grupo de policías blandiendo sus macanas forradas con tiras de plástico blanco y negro. Los integrantes de la mesa redonda se alejan bromeando hasta perderse dentro de sus carros. En tanto, los agentes secretos y uniformados jalonean y golpean y les arrebatan las maletas a tres estudiantes que han bajado de una aeronave de Cubana de Aviación, que vino en vuelo directo desde La Habana.

OCTUBRE 27

Como no sucedió nada extraordinario el día de hoy (escribí las partes difíciles de *El Clan*, releí a la Stein ya mejorada con mi traducción) me puse a meditar y a echarle una mirada al diario. Sobresaltado por el ladrido de los perros de la casa vecina, vino a mí el recuerdo de mis últimos días en Argentina. Busqué el diario del año 52, justo el año en que abandoné todo allá, para convertirme en ciudadano del mundo occidental.

Transcribo (extrañado por el estilo simplista que usaba) los horrendos sucesos de mayo 14.

Con dificultad extrema, redacto esta página al día siguiente: brazos y manos, cara y tórax vendados a causa de las violentas dentelladas de mi perro Burfy.

Estuve bebiendo desde la mañana del 14. Se festejaba desde temprano la creación de una revista literaria. Como a las veintidós horas llegué a casa. Agotado por el rudo trabajo en la botica, mi padre dormía. Entré. Los gruñidos de Burfy me detuvieron. El maldito perro que me habían regalado meses atrás. El animal tenía un tamaño imponente aún para ser pastor alemán. Su bravura era desusual. Lo conservé debido a su magnífica estampa, la vanidad me obligaba a mostrarlo a cuantos amigos me visitaban. Siempre le tuve miedo y él lo notó. En un principio no me acercaba al perro; en varias ocasiones lo maltraté sin motivo. Regresé a la cocina, extraje una botella de cognac y estuve bebiendo hasta mediarla. En ningún momento dejé de pensar en el asqueroso perro y en el miedo enfermizo que me inspiraba. Envalentonado me dirigí hacia Burfy. Gruñó, pero al olfatearme volvió a echarse, quedándose quieto. Fue cuando le di la primera patada. Sorprendido por el ataque, el perro retrocedió hasta quedar arrinconado. Ni chilló ni ladró. Se limitaba a mostrarme su odio en los colmillos brillantes y agudos. Gritando para darme valor lo seguí y lo volví a patear. Lo hacía descargando mi odio de meses. Sin darme cuenta, el animal cobró impulso con las patas traseras y se abalanzó sobre mí. Caí pesadamente al suelo y el perro inició su venganza. A mis gritos de dolor acudieron los criados, quienes lograron retirar al animal enfurecido. Sus ojos me provocaban un temor espantoso. ¡Pudo haberme matado! Me salvé por escasos centímetros, ya que el perro no alcanzó la yugular.

Burfy encerrado en un cuartucho, en el acto lanzó aullidos. Aullidos que se prolongaron durante el resto de las noche sin permitirme dormir ni un segundo. Además, el dolor de las heridas contribuyó a alejar toda posibilidad de descanso o tranquilidad.

Al día siguiente, muy de mañana, le dije a los criados que lo echaran, que lo pusieran en libertad, esperando que al verse libre desaparecería de allí. El perro se limitó a esperar frente a mi ventana, al otro lado de la acera. Lo dejé un rato: me miraba atentamente, sin distraerse para nada. Vino la policía. Les dije que se trataba de un can hidrófobo. Salieron a buscarle. Se había esfumado. Los agentes trataron de localizarlo. Nada. No lo hallaron. Para tranquilizarme, uno de ellos me dijo que daría aviso al antirrábico, que no me preocupara más, que ellos lo arreglarían todo.

En cuanto se retiraron los policías, el perro volvió a plantarse ante mi ventana. Mirándome de nuevo. Fijamente. Esperando vengarse. Comprendí que sólo se iría después de haberse desquitado...

Qué horrible situación. Parece que aún la estuviera viviendo. Recordé el ofrecimiento de un empleo para trabajar en los Estados Unidos, en la OEA. Pude arreglar los trámites telefónicamente e hice que me acompañaran varios amigos hasta el aeropuerto. El perro quedó burlado. Yo no he regresado jamás a Argentina. Sin embargo, cada vez que veo a un pastor alemán creo estar ante Burfy.

Bueno, basta de cosas dramáticas, serias. Se dice que... (Nueva Subsección estrujante a cargo de La Voz Viva de México, Miletra Ex de Guerra)... hay en estos momentos depositado con enfático editor y su caballeroso asesor literario, un curioso manuscrito como-de-novela, en el que se atacan furibundamente supuestas actividades mafiosas y se pretende poner-al-desnudo o algo así con una extraña mezcla de habilidad-y-vileza a figuras de la talla de Ruperto Berriozábal, Culeid, Rosicler, Cafarel y similares o allegados. Lo malo es que, según se dice también, y era de esperarse, la propuesta novela está muuuy mal escrita y por lo tanto habrá que esperar a la única ficción autorizada para esta clase de menesteres, la única escrita desde adentro y no por observadores subdesarrollados, como su nombre lo indica: ¡EL CLAN!

Faltan pocos días para la lectura autobiográfica de Ruperto Berriozábal.

Descífrese: R.

EL ESNOBISMO de Boyd había llegado al clímax. Ahora desayunaba en el Tirol un par de alka-seltzer y pan tostado, una rebanada para ser exactos. Es benéfico para la salud, declaraba. Con este frugal desayuno puedo pintar mucho mejor.

Pero lo curioso no era el desayuno en sí mismo, sino los ritos preliminares. Llegaba a las diez en punto. Saludaba sin ver a nadie. Y se encaramaba sobre una mesa (siempre la misma) en posición yoga. Pedía un poco de música electrónica y permanecía así durante varios minutos. Al concluir recitaba versos de Rolando Bespis y pedía dinero a las personas que estaban en las otras mesas. Una ayuda para este pobre pintor que no ha desayunado. Pocos se la daban, pues es sabido que su familia (los Ramírez) es multimillonaria. La concurrencia gozaba a montones y los dueños del Tirol no le cobraban nada por los alka-seltzer ni por las rebanadas de pan tostado. Atrae clientela, dicen. En efecto, cada vez llega más gente a presenciar el desayuno del famoso pintor abstracto Boyd Ramírez, uno de los mejor cotizados.

SÍ QUE Benavides consiguió su objetivo: asustar a los burgueses babosos invitándolos a saborear ricos hongos alucinógenos. Hasta tuvo que escribir un libro sobre el tema, al cual ciertos críticos atacaron por degenerado y monstruoso. Quiere acabar con las buenas costumbres de la familia mexicana, decente a carta cabal. Quiere destruir la integridad del hogar mexicano y disolver las tradiciones. Es contrario a la religión y a la moral. Varios intelectuales tarolas también lo vieron con repugnancia. Uy, es hongoadicto, córrele. Sin embargo, Benavides quedó feliz con los resultados, con el sustazo que proporcionó a las buenas conciencias. Desde entonces le quedó la costumbre —muy sana sin duda— de ofrecer hongos alucinantes a cuanto mexicano baboso se le acercara, como quien ofrece un Raleigh con o sin filtro.

Eso es épater le burgueois, no andar pintando collages trasnochados o escribiendo mamarrachadas.

PARA LEER el prólogo de las obras completas de Ruperto Berriozábal todos los integrantes del Clan se pusieron en pie a petición de los críticos Lépiz y Ornelas, según ellos los máximos apologistas de Ruperto; la lectura la hizo Lépiz con su voz bien timbrada, matizando perfectamente. Ruperto no estuvo en el acto, mejor, porque de haber estado los hubiera puesto en sus sillas: detesta el culto a la personalidad; que por otra parte sospecha es falsificado y postizo. Las envidias han cobrado auge y sin duda lo están rodeando, envolviéndolo con una lentitud que desespera por su eficacia. Muchos aspirantes a la presidencia verían bien un accidente ocurrido a Ruperto y algunos piensan en el asesinato (cosa que nadie que ame bien a Ruperto debe temer, él mismo sabe que ningún intelectual del país es capaz de tener pasiones estratosféricas: ninguno mata, ninguno se mata, ninguno es perseguido; y más todavía, el FBI y la CIA permitirían que un persistente de la calaña de Johnson se acercara sin protección a los intelectuales del país: tan seguros así están de su inocente bondad). A Ruperto le enojan las intrigas consuetudinarias y seguido les repite: No vivan del chisme. Pero le dicen que sí, y al rato están en las mismas intrigas y Ruperto entre broma y broma insiste: Tengo tantos enemigos entre mis amigos como enemigos fuera de mis amigos-enemigos y algún día voy a escribir un libro sobre el chismorreante medio intelectual de México, se los advierto y le pondré *Con la pluma y el puñal*. Todos le festejan la puntada pero al <u>ratitito</u>: Creo que Ruperto ya está en las últimas, acabo de leer fragmentos de su próxima novela: son fatales, por su bien debemos hacer algo, quitarle el derecho de veto o la misma presidencia del Clan.

LLEGARON EN camiones. En varios camiones. Silenciosamente los soldados se desplazaron en torno al jacal. Apenas se escuchaba el frotar de las armas contra los cuerpos. El que daba órdenes entró violentamente seguido de cinco hombres con subametralladoras. La puerta del jacal casi quedó en el suelo por las patadas recibidas. Y los habitantes fueron levantados a culatazos y a improperios. Ninguna resistencia fue posible: la soldadesca los inmovilizaba con la punta de sus armas. No se enteraron de nada que no fuera su arresto por comunistas y agitadores. Por andar azuzando a los campesinos contra el gobierno, ni siquiera por tierras.

A empellones fueron subidos en los transportes militares. Eran unos jóvenes, casi niños, una mujer embarazada y un hombre de facciones recias. Pertenecían a una sola familia.

Ninguno podía reponerse de la sorpresa, de la desagrada-
ble sorpresa que significa ser arrestado por soldados mari-
huanos, capaces de cualquier cosa.

—¿De qué se trata? —interrogaba el hombre.

—Cumplimos órdenes —respuesta lacónica del oficial.

El llanto de los niños fue ahogado por el ruido de los mo-
tores encendidos. Los camiones avanzaron. Sus luces hora-
daban la oscuridad. La familia, conforme los camiones se
internaban en el campo, se preocupaba más y más. Se diri-
gían miradas temerosas; pero no palabras. Los soldados fumaban tranquilamente, como si todo fuera normal.

—Éste no es el camino/ —dijo el hombre. Un culatazo
en pleno rostro lo hizo callar. Con lentitud, unas gotas de
sangre escurrieron hasta el cuello del detenido. Su mujer quiso
auxiliarlo: el soldado que tenía a un lado lo impidió.

—Quieta, vieja cabrona, quieres que te demos a ti también.

Al poco tiempo, los camiones hicieron más lenta su marcha. Se internaban en un claro de reducidas dimensiones. El
cuarto menguante resultaba insuficiente para iluminar el lugar. Dos soldados prendieron lámparas de petróleo. El oficial
dio órdenes en voz muy baja, tal vez temiendo que alguien
la reconociera, pero, ¿quién en esa zona despoblada? Los
presos fueron bajados con brusquedad del camión. En pocos segundos, quizá apenas rebasado el minuto, los soldados formaron un semicírculo; dentro quedó la familia. La
mujer se abrazaba al hombre y los adolescentes se aferraban
a los dos. Todos sin poder hablar, sin saber pedir clemen-
cia, piedad. El oficial consultó su reloj, el oro brilló por el

pedazo de luna. Los soldados vociferaban: les mentaban la madre a los pinches comunistas: Jijos de puta, andaban alterando el orden, quién los viera tan mansitos. Quieren joder al gobierno, agitadores de mierda. El hombre movió un poco a su esposa hacia atrás, en un intento de cubrirle el vientre hinchado. El oficial dijo ya está bueno, duro con estos cabrones agitadores y los soldados se regodearon apretando el gatillo una y otra vez, haciendo funcionar los máuseres y las subametralladoras. El oficial hizo el intento de sacar su escuadra (¿con qué objeto?). Los cuerpos se desplomaron con pesadez, con la pesadez de muchas balas dentro. Un soldado se acercó: Nadie estaba vivo; todos bien muertos, perfectamente muertos, mi mayor. El mayor respondió: Esto enseñará a la gente a no agitar a los campesinos. México no es para los comunistas. Antes de treparse en los camiones, la bota de un soldado pisó el vientre muerto de la campesina. Hubo risas.

Los camiones se movieron rumbo al cuartel, con sus uniformados de verde; iban con la conciencia del deber cumplido. A lo mejor hasta medallas y ascensos nos dan, tú, le dijo uno a otro. Por lo menos hay dinero, le respondió casi a punto de encender un cigarro.

En el claro, los cuerpos de la familia que en vida llevó el apellido Jaramillo seguían soltando sangre por las heridas.

Era la premisa básica: cada escritor leído leía la novela del escritor que lo leyó. Lo que no encajaba era quién daba el primer paso, quién leía antes. Vaya dificultad. Que entre escritores

no era tan grave. Lo en verdad grave era entre los críticos.
Pero la solución se dio así: leer sólo a los amigos. A los que
han demostrado amistad a lo largo de varias fiestas, conferencias, lecturas, exposiciones, actividades culturales en general.
Algunos confesaron sin vergüenza que sólo leían a los autores importantes que les obsequiaban sus libros, después de
tener la certeza de que ese escritor famoso ya los había leído. De esa manera, literariamente hablando, en el Clan, poco se conocían los unos a los otros. Y los de fuera, no existían.
Sólo RB estaba al tanto.

Las apariencias engañan. Bajo esta frase célebre, las riva-
lidades eran tremebundas y ni la férrea dirección de Berriozábal pudo destruirlas. Riveroll no leía a Rex porque éste
aún no compraba sus ensayos sobre lo Camp. Julieta hablaba mal de los poemas de Rolando porque en algunas
ocasiones Rolando dijo que los artículos de Rosicler eran
complicados por la incultura de éste. Cafarel desconocía los
cuentos de Pedro Guía y para ello solamente daba una explicación: Pedro no quiso leer el original de mi novela. Negrino Blanz le hacía bromas ruines a Jeorge Férez y Jeorge
Férez, destrozaba las notas críticas de Negrino Blanz. Y así
hasta el cansancio literario. Sin embargo, ello no impedía que
al encontrarse se saludaran efusivamente y se propinaran
abrazos de político mexicano (seriamente emparentados con
el beso de Judas).

La crítica literaria no era la excepción, pues estaba dirigida por un profundo instinto amistoso. Crítica buena para
los amigos. Crítica despiadada para los enemigos (y para los
desconocidos si apuntaban a serlo).

Ponce, por ejemplo, sí había tenido buenas críticas sobre su poesía. En especial le fue favorable la columna dominical Banquete Literario. Y algunas notas en varios periódicos que Rosicler firmó con seudónimo; en todas ellas se exaltaban las virtudes poéticas que tenía el adolescente.

¿PERO Y LOS OTROS?

Los otros, los que carecían de amigos importantes, eran juzgados con saña. O su castigo gratuito era el silencio. Nada tan monstruoso como la ausencia de notas. El que no hablaran de uno era terrible; sí, la peor tortura. Mal o bien, pero que digan algo, cualquier cosa (vieja tesis del político mexicano transplantada a la literatura).

(Él hablaba mal del libro porque su autor le caía mal. Otro detestaba la obra entera de Curchifundio porque su hermana no quiso tener relaciones amorosas con su feo primo hermano. Alguien más odiaba a los jóvenes literatos porque tenían talento y éxito; porque estaba viejo y amargado; porque había terminado en una cantina corrigiendo el mundo a su antojo y odiando a los que tenían algún valor, acusándolos de maricones y de ignorantes; pobre desde su cural cantinera lanzaba diatribas enfermizas contra el universo y elogiaba a dos o tres borrachines amigos suyos, tan faltos de talento e idiotas como él. Y así, siempre había un porqué imbécil para criticar o para atacar o, incluso, para alabar.)

LA CONVOCATORIA ya apareció. Tienen ustedes que concursar. El momento, la posibilidad está presente, puede sentirse con un poco de imaginación. Visconti, Hawks, Ford, Fellini, Eisenstein, De Brocca, Truffaut, Chaplin, Lang, Chabrol, Cótex, Riveroll, Cafarel, Berriozábal, Rolando, Férez, Blanz, Rosicler. No hay diferencias todos son cineastas cabales. Sólo que unos viven fuera del país y otros, los buenos, dentro.

Es la oportunidad que ustedes buscan. Un concurso de cine experimental. Transformarán a la industria cinematográfica nacional, harán un cine inteligente, refinado, culto. En los literatos, ya lo dijo Riveroll, está la salvación/ Ellos cambiarán a México y al mundo. Son los redentores/ No. Esas son palabras de Rolando, es el mensaje de salutación que envió a la conferencia anual del Pen Club.

Allí están los cuentos de Ruperto, de Rex, de Cafarel, de Guía, grandes guiones en potencia. Pueden ser los temas que glorifiquen sus nombres en el celuloide. Metamorfoséense en actores, en guionistas, en camarógrafos, en productores, en directores/

y una mañana, después de un inquietísimo sueño, el cine amanecerá salvado.

Quiten a los corruptos productores, capitalistas que sólo piensan en la lana,

acaben con los puñales de Guanajuato, con las obsidianas de oro, con el Nopal Tricolor,

impidan más desaguisados contra el arte, liquiden los films de charros, de luchadores enmascarados, de los derechos de nacer, de los Virutas y Capulinas, de Cantinflas,

pero háganlo cuanto antes.

[ME LLEVA la chingada, llevamos tres sesiones y aún no podemos ponernos de acuerdo. Tenemos que hacerlo. De lo contrario, el tiempo para presentar los films se agotará. Por favor, miembros del Clan, los folklóricos ya están haciendo sus películas. Hay que tomar en cuenta que ellos son subsidiados por el gobierno y disponen de un magnífico equipo. Compañeros: Pongámonos de acuerdo, de una buena vez cerremos la discusión sobre si el cine es arte o es industria.]

EN LOS meses en que Pedro Guía participó, muy activo en la política estudiantil, conoció a un compañero de aula con el que simpatizó. Se hicieron buenos amigos y en una ocasión invitó a Pedro a visitar a un camarada en la Cárcel Preventiva. Es un preso político. ¿Conoces alguno? Bueno, he visto a Siqueiros de lejos, repuso Pedro.

De la visita inicial se derivaron otras. Al salir de la UNAM, Pedro perdió de vista a su amigo, jamás lo volvió a ver. Luego se olvidó del presidiario. Ahora recibía una carta de él.

Aquí encerrado. Esperando. Aguardando. Seis años, acaso más tiempo. La cuenta se pierde. Llevarla carece de sentido… Todo se va olvidando lentamente. ¿O rápidamente? Las visitas cada vez más escasas, se han reducido a la familia: la mujer y los dos hijos. Mis dos hijos que cuando vienen abren muy grandes los ojos, pero no se atreven a preguntarme nada. Mis hijos que ya resienten los efectos de tener a su padre encarcelado. En la escuela o en la calle donde viven no falta la pregunta imbécil: ¿Por qué está tú papá en la cárcel?, y el eco sigue y sigue: ¿Por qué está tu papá en la cárcel? Y yo aquí, encerrado. Sin poder ayudar al sostenimiento de mi familia. Mientras la vida existe fuera de estos muros. Viendo en ocasiones, cuando la suerte lo permite, la entrada de diarios y revistas. Adentro, con cierta periodicidad, mi nombre aparece junto a una larga, enorme lista de presos políticos. Al finalizar las grandes listas vienen otras: las de firmantes. Y nadie sabe qué lista ver. Todos están de acuerdo en firmar un manifiesto pidiendo la libertad de los presos políticos. Firmar es tan barato. Nada más el gasto de tinta, que se puede ahorrar haciendo un minúsculo garabato para que la policía no entienda el nombre. Pero a veces mi nombre no aparece en las listas. Está ausente. Sólo se ven los nombres de los prisioneros importantes. De los que tienen amigos. De los que saldrán pronto convertidos en héroes. Sin embargo, y esto es lo que cuenta, todos estamos encerrados por la misma razón.

Ustedes no son presos políticos, nos dicen repetidamente como para que se nos fije, son delincuentes vulgares, delincuentes que atentan contra la sociedad, contra el orden establecido, contra las vías de comunicación. En México se han cansado de decirlo: No hay presos políticos. Tienen razón. Al cabo de tantos y tantos meses, uno ya no recuerda por qué está detenido, sin libertad. Y la huelga y la represión del ejército y la policía son escenas vagas, nebulosas. Y es igual estar preso por disolución social que por robo. Me dicen los compañeros —cuando recuerdan que estoy aquí—: No, no es así, ser preso político es bueno para la causa, la gente adquiere conciencia, la opinión pública se indigna, el gobierno se hace impopular, se tambalea, el preso se convierte en mártir, pasa a la historia. Pero estando encerrado, sin contacto exterior. Queriendo agrandar el espacio del calabozo. Anhelando traspasar los muros de cemento. Soñando con milagros, como cuando se es chico y se le educa a uno en el catolicismo. Recibiendo unas pocas noticias de lo que pasa afuera, en la calle, en la ciudad, en el país, en el mundo, de boca de rateros o de criminales que acaban de ser encarcelados. Oyendo gritos en las noches y despertando al darse cuenta de que son gritos propios, nuestros; gritos que nadie escucha, sólo nosotros.

Y qué me puede decir mi mujer, nada. No entiende nada. Se limita a llorar. Sólo sabe que estoy preso. Que la condena no parece concluir. Que ya voy para siete años (¿o todavía no?).

No se puede hacer algo. La paso viendo a otros presos salir, dispensados por las mismas autoridades que los condenaron. Viéndolos entrar. Viéndolos salir. Viéndose uno dentro. Sin posibilidades de largarse. Esperando que los manifiestos firmados por los intelectuales (por algunos de los intelectuales) me saquen de la cárcel. Esperando que los estudiantes convenzan a las autoridades de que no debo estar preso por disolución social. Esperando que los compañeros del sindicato protesten, hagan huelgas y actos que me permitan salir. Esperando que la izquierda junte sus fragmentos esparcidos a distancias ilógicas y exija mi salida inmediatamente. Mientras tanto, yo sigo aquí, encerrado.

EN REPETIDAS ocasiones Ruperto Berriozábal, y pese al relajo que echaba, manifestó su posición política, posición aunque sui géneris, importante. Mi vocación es de izquierda, solía decir a sus íntimos y familiares. De una u otra forma la invasión a Cuba impresionó a Ruperto. Y las lesiones que sufrió la Dominicana. Y las masacres que hicieron los marines en la zona del canal de Panamá. Sus polémicas con intelectuales norteamericanos sobre problemas del Tercer Mundo o sobre la idiota política exterior de los EUA eran frecuentes y se caracterizaban por la endemoniada habilidad con que Ruperto destrozaba uno a uno los argumentos contrarios. En cierta ocasión escribió un largo artículo protestando por la guerra que hacían los Estados Unidos en Vietnam. Y a cada momento insultaba al imperialismo yanqui.

[NADA MÁS que a veces se comporta muy curioso. Como no lo dejaban entrar en territorio norteamericano, Ruperto protestó. Nadie le hizo caso. Y en una borrachera decidió, junto con Benavides, cruzar el Bravo a nado e incorporarse en una marcha sobre Washington para defender la integración y los derechos civiles de los negros. Imaginen el problema en que se hubiera metido. Afortunadamente, Culeid lo hizo desistir de su propósito bajo la promesa de que al día siguiente el Clan en masa partiría raudo y veloz rumbo al vecino país para protestar por el trato denigrante a las personas de color. Sólo así se durmió tranquilo en brazos de su esposa.]

Pero el ejemplo de Berriozábal no era imitado por nadie en el Clan, excepción hecha de Benavides. El resto lo veía cordialmente (Qué curioso es a ratos Ruperto) o estaban en contra. Berriozábal en varias juntas quiso que se discutieran problemas importantes, pero se topó con las apolíticas trincheras de los miembros del Clan. Y él, democrático de los buenos, tuvo que borrar los temas políticos de la orden del día. Y a la sorda (o a la chita callando, como gustan decir los maestrines de español y los académicos) se decían los del Clan: esta costumbre de querer hablar de cuestiones ajenas al arte va siendo molesta.

Conforme Ruperto maduraba, sus convicciones cobraban formas nuevas: ya no sólo quería revolucionar la literatura, también la política. Algún día Ruperto transformará su posición sonrosada por una de tono más fuerte, más severo.

Los clanudos se molestaban mucho, se ha dicho. Rosicler y Riveroll, en cambio, sí le entraban a esos puntos, pero en plan de relajo, como era su manía, para divertirse y desaburrirse. Rosicler, en los Estados Unidos, firmó un manifiesto integracionista y todo por conquistar a un negro trompetista de jazz. Riveroll era pura pose, igual que los intelectuales folklóricos escribía discursos para que los altos funcionarios cotorrearan al populacho (cosa parecida hacía Ortiz Leal, el filósofo marxista de la dialéctica hegeliana).

Los funcionarios públicos odiaban a Ruperto desde la aparición de su ensayo *Los mitos de la Revolución Mexicana*. Y todo porque en el prólogo tuvo la humorada de sostener, en plan chacotudo, que en este honorable país no existían los políticos, había, eso sí, muchos burócratas, se daban por montones. Pocos como Ruperto para dardear a la Revolución. Además sus dardos siempre daban en el blanco, hiriendo la susceptibilidad del patriota que cada mexicano lleva en su corazoncito. (¿Te acuerdas, manis? Una vez le dijo a un grupo de periodistas tarados que en México había cuatro entidades femeninas fundamentales para el macho mestizo: la madre, la hermana, la virgen y la patria; la esposa nunca: se fastidia de madrearla, ella es el desahogo, el sexo momentáneo.

Que estas entidades eran su razón de ser y existir. Y que el mexicano daba la vida por su madre, por su hermana, por su virgen y por su patria. Y que a falta de madre moría defendiendo la honra que a la hermana no le interesaba y que sin madre y sin hermana entregaba la existencia por la virgen morena y que en ausencia de madre, de hermana y de virgen el buen mexicano se dejaba matar por la sagrada patria y que al expirar mediante un flash back hacía un bonito recordatorio de la historia nacional completa, oyendo el heroico himno entre estertores. No se te olvide la ola de indignación que esas chascas declaraciones provocaron en los pocos miles de personas que leen los diarios, ¿verdad?)

Por todas esas causas, es de suponer que el Movimiento de Asistencia que Renueva, de orientación nazi, planeó un ataque físico a Ruperto Berriozábal, ataque que puede llevarse a efecto en cualquier momento.

Los del MAR, cuates fascistas subdesarrollados, sinarquistas de derecha, panistas exaltados, católicos exacerbados, decidieron golpear a RB para que escarmentara, por rojillo y vendepatrias, mal mexicano y ateo. Pobre Ruperto, políticamente las izquierdas lo detestan tanto o más que las derechas y ambas cosas juntas apenas llegan al odio cuasi africano que el PRT siente por él.

Al creador de irrealidades le pasaron el tip y, como era de esperarse, se indignó bastante bastante (que es más que bastante a secas). Y se enojó así de fuerte porque sabía que esto era el principio: adelante, en poco tiempo, unos años más, el MAR y el PRI serían aliados, ambos representantes de la última fase de la Revolución Mexicana.* En seguida retornó a su tono irónico y mordaz. Bueno, Hitler empezó bebiendo buena pilser; estos mamarrachos u orates lo más que beben es pulque adulterado o tequila con oranchito.

Es UNA pena que el Clan no haya concursado en grupo, con una sola película realizada por todos, mediante una buena división del trabajo. Cada miembro es ahora un cineasta completo y genial y ve a los otros como rivales. Esta convocatoria acentuó las profundas diferencias literarias que los del Clan tenían de ordinario entre sí. Es frecuente oír: Mi película

---

* Recuérdense las tesis del profesor Betes Bruzas.

es superior a la tuya, sin dudarlo/El argumento de la mía es mejor que todos los argumentos juntos/ Dirige pésimamente/ La fotografía es horrible y su música infecta/

En realidad, como está dicho, las coyunturas se han agrietado más y más. Los jurados del concurso de cine experimental —en él participaron todos los miembros del Clan— debieron haber roto la tradicional división entre perdedores y ganadores, concediendo primeros lugares a cada uno.

De nada sirvió que antes hubiesen hecho una película juntos. Al momento cada quien se siente el amo, desea ser superior al otro. Si fuera una envidia sana, menos mal, pero sólo provoca odios a morir entre los que pudieron hacer cosas sensacionales. Ni modo.

Y NO es que el Clan tenga derechos para decidir exclusivamente quién es bueno en la literatura y quién no. Sino que en este caso, bueno, hay que decirlo: se les fueron las patucas a Ochoa, a Grill, a Arica y a Golden. Entre los cuatro escogieron un joven para lanzarlo al estrellato en plan grande (deben haber querido imitar el lanzamiento que hizo Rosicler de Carlos Ponce). Se trataba de un muchacho, recién llegado de la provincia, que escribía novela y ensayo. A los cuatro les entusiasmó su prosa, muchísimo, y empezaron a correr el rumor de que habían descubierto un genio. La gente del medio comenzó a inquietarse. Los novelistas revisaban cuidadosamente sus obras en preparación, porque en lo futuro, al salir la de Muchachote, la competencia iba a estar reñida. Los críticos literarios, muy nerviosos, leían sobre su especialidad para que la aparición de la novela genial no los fuera a pillar desprevenidos y pudieran hacer crítica de altura.

En cada fiesta, en cada conferencia, en cada reunión, en cada entrevista, el Comité de los Cuatro decía: Tenemos el proyecto de publicar en breve la novela del mejor escritor que ha producido México. Todos los editores lanzaron el anzuelo en busca del pez Muchachote. Éste, bien couchado desde la banca por los Cuatro, no se dejó atrapar. Su novela, la máxima obra escrita en español, sería para la mejor editorial, la que tuviese más sólido prestigio, la que produjera las ediciones más bellas, la que ofreciera condiciones insuperables. Fue escogida Mejor Editorial, S. A.

En esos días se llegó al grado de impedir que Muchachote platicara con cualquiera para que no se contaminara con pésimas ideas o construcciones verbales. Lo mismo sucedía con sus lecturas: cada que deseaba leer un libro, el Comité de Censura (Arica, Ochoa, Golden y Grill) tenía que aprobarlo. Y era tanto el tiempo que se tardaban censurando, que el libro jamás llegaba a las manecitas de Muchachote. Pensaban, seguro, que estaban ante otro Ruperto. Pero como decía el anuncio, ya cascado por cierto, de coca-cola: lo único igual a Berriozábal era Berriozábal.

Una vez alguien se atrevió a solicitarle a Muchachote un fragmento de su novela para publicarlo. No acababa de pedírselo cuando sintió encima ocho puños furiosos: los puños del Comité de Protección. Semejante atrevimiento. Fuera de aquí. A Muchachote lo cuidaban. Lo acompañaban hasta su casa y al día siguiente lo visitaban para seguir corrigiendo los pequeños errores de la novela, cuestiones de detalle (un punto y coma mal colocado, un gerundio estéril, etc.). No permitieron que trabajara en cosas diferentes a su novela, su primeriza obra maestra. Para ello formaron el Comité de Ayuda Económica. Dicho Comité se encargó de sufragar los gastos de Muchachote, gastos que fueron en aumento cuando su novia vino del pueblo y contrajeron matrimonio. No importa, dijeron, primero está su obra. Su gran obra. La obra del único genio que ha producido México. Hagamos un sacrificio. Y pagaron los gastos del matrimonio y de instalación en un regular condominio. No hubo viaje de luna de miel porque la novela ya era exigida por el público. Había que concluirla rápido, cuanto antes.

La inquietud aumentaba conforme la fecha de aparición se acercaba. Todos andaban nerviosos. El propio Ornelas tenía el problema de si había que darle el premio Reyes contra su voluntad, a pedido de las multitudes literarias.

Nadie conocía aún personalmente a Muchachote. Se conjeturaba sobre cómo era, pero nada en claro. Unos, los idealistas, decían que era rubio y bello como un dios griego; los realistas estaban seguros de que era prieto y feo, como buen mexicano. Y Riveroll investigaba por cuenta del Clan, tratando de saber con exactitud cuál era la verdad sobre el caso M.

Al fin apareció el libro. Todo mundo a las librerías a adquirirlo. Pero al leerlo, oh decepción: había sido una jugarreta de Ochoa, Arica, Grill y Golden. El libro no tenía nada de extraordinario, incluso era bastante malito. Los Cuatro Grandes engañaron a Muchachote y engañaron al público, que es más importante. Aunque en realidad, y para ser justos, no hubo ningún acto de mala fe; se trataba de otro caso de incultura y de poca perspicacia literaria de los Cuatro Escritores: los barritos y los nopales y el campo mexicano ya no son tema para nuestra literatura, literatura eminentemente urbana, al menos en forma tradicional.

Las pocas críticas sobre la novela coincidían y dejaban mal parado al frustrado proyecto de genio. Algunas llegaron a ser demoledoras contra el autor y el Comité Creador de Genios. Ornelas mismo dijo que no era merecedora del Alfonso Reyes. Rabia fundamentada, provocada por un cotorreo de mal gusto.

Muchachote se encerró a trabajar en serio, sin la ayuda de los Cuatro Amigos, para producir una novela buena, ya sin el calificativo de genial.

LOS PERIODISTAS Abyectos del País recibieron la invitación para visitar Cuba: se trataba de un congreso de prensa. La invitación fue por parejo: retrógrados, conservadores, fanáticos derechistas y, por supuesto, progresistas. Es decir, todos los Periodistas Miserables podían transladarse al cubano país. La mayor parte de ellos se negó a ir. Nada de propaganda comunista, dijeron. Y añadieron: los cubanos tienen eficaces métodos para lavar cerebros sanos, anticomunistas.

En cambio, los Periodistas que Progresan, que jamás rechazan una oportunidad para viajar, sí aceptaron. Querían observar la obra del gob. rev. amén de hacer algunos reportajes sobre el alma de un hombre bajo el socialismo (ojo: referencia al reaccionario y fino humorista inglés Wilde). Dicho y hecho y derecho hasta La Habana. Ya bajaron del avión los Periodistas Seudopositivos.

Empezó a funcionar una Kodak. Tres periodistas, con su habitual agudeza, miraban de aquí pal otro lado; luego hicieron la operación al revés. Cuchicheaban y fingían escuchar al guía. No tiene caso oírlo: está adiestrado para mentir cínicamente. Los llevará a los lugares más tolerables. Júrenlo. Cuba es una fachada. Puras apariencias, dijo el más Inteligente de los tres miembros del 4o. poder.

Fueron hospedados en el Habana Libre. Llegandito a sus habitaciones el trío pidió botellas de ron (tenían noticias de lo saludable que es el Bacardí cubano). El alcohol mitigará las penalidades de ver un pueblo esclavizado. Ni modo.

Primero los llevaron a conocer el frigorífico. Fíjense bien: rusos por todas partes. Es claro el control. El pinche barbas está entregando su patria al comunismo de Moscú. Ya decía, no debimos haber venido. Quizá lo mejor hubiera sido pagar nuestros propios gastos, como lo han hecho los periodistaliteratos que más venden en México (¿qué venden?). Bueno, ellos reciben talega en otros lugares.

En la tarde fue la inauguración del Congreso. Los Periodistas Abominables no pudieron asistir por la pavorosa borrachera que traían a cuestas.

Segundo lugar de visita: la fabricota de puros mayor del mundo. Ahí se inició el fuego de los Periodistas Mexicanos que ya estaban hartos de demagogia castrista. (Nótese que se ha empleado el adjetivo insultativo mexicano.) Al guía, sin soltar la de Bacardí: Perdóneme, camarada cubano, me dice que han aumentado la producción de tabaco en un ochenta por ciento. ¿No es así? Si el socialismo supone progreso y un mejor nivel de vida y salud y si el tabaco, como nadie ignora, produce cáncer y malestares en las ramificaciones espaldíferas, es lógico suponer que ustedes están matando a su pueblo.

A la salida, el Periodista Cervecero les dijo a sus compañeros de oficio y paisanos: Lo jodí a toda madre. Pobrecito. No resistió mi lógica implacable y científica. Y qué pinche respuesta del guía: No señor mexicano, en Cuba nunca ha habido en su historia más de treinta casos de cáncer y no sé cuáles sean los malestares en las ramificaciones espaldíferas. ¡Tarugo, no sabe nada! Verán cómo en la próxima oportunidad lo hago cisco.

Ese día principiaron los trabajos del congreso. Los tres Alegres Periodistas no se presentaron, pues estaban en el chupe más siniestro.

En la tercera visita, el Periodista Nal. de las Ocho Columnas Huarachudas atacó: Mi camarada, en México ya producimos coches y tractores y maquinaria pesada y aviones y barcos y cohetes espaciales. Y no me venga con la estupidez de que todo lo que se fabrica en México es norteamericano, porque se estaría usted engañando y engañando a los cubanos. El tiempo tampoco es pretexto. Le hablo como periodista honrado y mexicano, valga la redundancia. Su revolución es ridícula. Una revolución se mide por el número de muertos. La nuestra tuvo un millón. Es más importante. La suya es de juguete, es una marioneta. El guía apenas respondió. En realidad, la cortesía impidió que mandara a chingar a su madre a los Mexicanazos del Periodismo.

Satisfecho —como estaban también sus cuatachones por los triunfos obtenidos— siguió bebiendo ron. Al fin es por cuenta de los cubanos.

Como era normal y previsible, ninguno de ellos asistió al congreso de prensa. ¿Cómo participar en sesiones junto a comunistas sin solvencia moral, sin ética profesional, sin conciencia, al servicio del imperialismo soviético? En una ocasión, los Genios del Linotipo se fueron al Tropicana. Ya en el trago les gritaban palabras soeces y obscenas a las bailarinas. E intentaban pellizcar a las que se acercaban.

A la cuarta visita, que para suerte de los cubanos, era la última, el Borrachote del Periodismo Tequilero se indignó hasta los berridos cuando supo que en los muelles acababa de atracar un barco ruso con técnicos para preparar barbones. ¡No es posible! ¡Qué humillante: son incapaces de preparar sus propios técnicos como los preparamos en México, con nuestros propios recursos! Y luego una larga lista de logros obtenidos por la Revolución del Millón de Muertos. extraídos del libro *Ojete el que no sea mexicano,* de la inspiración de los musicopolíticos Aureliano Cótex y Jorge Domínguez. Para silenciarlo, fue indispensable dispararle una garrafa ronera de cinco litros y medio.

En la cena de despedida a los congresistas, los Periodiqueros se pusieron sentimentales. Uno de ellos exclamó: No es justo. Miren qué cena tan a toda madre nos sirvieron, mientras que afuera seis millones de cubanos no tienen nada de comer; no poseen ni un mendrugo de pan que llevarse a la boca. Habría que añadir: aparte de ponerse sentimental, el tipo éste estuvo cursi y demostró su amor al lugarazo común y a la calumnia periodiquera.

Los Tres Periodistas Sinceros Aunque Cabrones tomaron el avión de regreso a su patria amada, de la que nunca debieron haber salido. En las espaldas, como si fueran mochilas de abominables boy scouts, llevaban garrafas gigantes de Bacardí. El Honesto de la Pluma Atómica, antes de dormirse por la papalina, hizo un chiste inefable: Con este ron no es posible producir cubas libres. Luego tomó su maleta y con dolor vio que las medias de nylon, los cigarrillos gringos y los chocolates Tin Larín que llevó, confiado en la pobreza cubana, para dárselos a las nativas tropicales a cambio de las nalgas, regresaban intactos. Ninguna mujer aceptó sus proposiciones. Ni hablar, se los daré a la familia: los chocolates para los niños, las medias para mi mujer y para Amelia, mi secretaria; y los cigarros me los fumaré. Apretando su garrafa contra el pecho, se quedó perfectamente dormido.

Sus cuatachones, en tanto, meditaban sus artículos geniales, en los que harían mierda al castrocomunismo dictatorial que amenaza a las democracias representativas que están apoyando al mundo libre. No era sencillo. Había que escribirlos cautelosamente. Después de todo, ellos eran Periodistas Auténticos, Revolucionarios de a Deveras.

En el mismo avión viajan algunos estudiantes. Conocieron Cuba y regresan entusiasmados (traen libros y discos). Al llegar a México, los Periodistas se identifican, el clásico credencialazo. Pasan por la aduana sin complicaciones. Los estudiantes no tienen la misma fortuna y los agentes los madrean, les arrebatan el equipaje. Ellos resisten con argumentos legales. Imposible. Llegan más agentes. Los Periodistas Crudos siguen su camino indiferentes. Se cruzan con un grupo de intelectuales del Clan: celebran una mesa redonda sobre los cómics que el ruido está a punto de interrumpir.

[SEÑORAS Y SEÑORES, amable concurrencia:
El periodista mexicano es tan creador como cualquier literato, sea prosista, sea poeta. La agilidad que concede el periodismo es la mejor práctica para llegar a la buena literatura. ¿Acaso no tenemos grandes periodistas, inmejorables literatos y geniales reporteros que manejan una prosa espléndida y audaz a pesar de su incultura, su esquematismo y sus faltas gramaticales? ¿Y qué decir de la honradez con que el periodista mexicano lleva a cabo su obra cotidiana?
Violentas mentadas de madre,
generosos aplausos que las acallan.
Escandalosamente sacan a unos jóvenes de la conferencia El Periodismo Revolucionario, Científico y Honesto.]

DR. FRANCISCUS FRANCIS.
990 Hillegas.
Berkeley, Calif.
USA.

Estimado Dr. Francis:

Rodeado de las cuartillas de mis estudios sobre los intelectuales del Tercer Mundo, le escribo estas líneas para comunicarle brevemente algunos de los resultados obtenidos.

Durante cuatro años he frecuentado a varios intelectuales mexicanos con el objeto de conocer sus motivaciones artísticas. Y las conclusiones son verdaderamente asombrosas. Sea cual sea la tendencia que los impulse a crear, responden, como si se tratara de un reflejo condicionado a frustraciones sexuales y a un complejo de fealdad poco normal (los bien parecidos son escasos). Es un tipo de complejo freudiano que merece examinarse con mayor detenimiento. Usted sabe, doctor, la libido, la libido. Por eso andan metidos en chismes y en relajos poco usuales: para alejarse de sus problemas. Cada vez que alguno se retrata, procura ansiosamente mostrar su mejor ángulo. Y así vemos fotografías de rostros extraños que en nada se parecen a los dueños. Lo mismo sucede en la televisión. Las cámaras los aterran. Cierto que no es el problema de todos, pero sí de buena parte, de la parte que tomé como muestra para efectuar mi estudio.

Tengo el libro casi terminado. Pero antes de entregarlo a mi editor, quiero que usted revise el original. He conservado el material para ulteriores aclaraciones. Tengo las cintas grabadas y mis cuadernos de notas. Como usted me recomendó, doctor, trabajé principalmente con la grabadora. Al principio, muchos intelectuales se mostraron reacios a colaborar, pero luego de pertinentes explicaciones todos accedieron. El libro está novelado para que se lea mejor. Y las relaciones sexuales se suceden a cada página para que se venda más. Sólo transformé los nombres, lo demás es fiel reproducción de lo que me contaron los intelectuales mexicanos.

El muestreo no pretende ser representativo. Sí, en cambio, intenta dar una idea del universo en que se mueven algunos destacados escritores y pintores mexicanos.

En el libro aparecen estos intelectuales de cuerpo entero, con sus escasas virtudes y sus muchos defectos, con su poca calidad humana. Se mira su forma de vivir y de actuar. Porque sabrá usted, mi estimado doctor, que es diferente para el escritor mexicano vivir que actuar. Vive cuando nadie lo ve, actúa cuando está en público aunque ese público esté integrado por una persona.

Estoy seguro de que el libro causará sensación. Más que los anteriores: el estrato social con el que trabajé es sumamente curioso. Al ordenar el material, modifiqué el lenguaje: lo hice un poco claro, pues el que ellos usan es casi slang.

Este tipo de libros, mezcla de estudio sociológico y novela realista, no tiene en rigor nada de eso. Es algo nuevo. Algo que aún no tiene nombre. Espero que usted le encuentre un término adecuado, mi querido doctor Francis. Yo he pensado en antropología intelectual. Pero no acaba de convencerme.

La mayor parte de las biografías (confesiones) que obtuve, las incluí en la obra, salvo una que no me pareció bastante dramática. Las otras son declaraciones íntimas, descarnadas y terribles.

En la próxima carta, doctor, le enviaré más detalles, pues ahora estoy abrumado de trabajo: preparo un volumen de cuentos con algunas de las historias que me contaron y que no me servían para los fines del libro. Buenas al fin y al cabo, decidí no desaprovecharlas. También se venderá mucho. Lo pienso titular *Historia de sexo y violencia en el medio intelectual* y un subtítulo aclarador: Las verdaderas relaciones entre los intelectuales narradas por ellos mismos, será de gran utilidad comercial.

Hasta luego, mi estimable doctor Francis. Con el aprecio de siempre, su discípulo más querido y adorado.

O.L.

7/II/67. México, D.F.

PD: No olvide usted enviarme su opinión sobre los libros anteriores. Y si es tan amable mándeme también todos los artículos referentes a mi obra *Familias dominicanas,* pues aquí casi no llegan publicaciones estadounidenses.

JULIETA VIENE de la cocina con una charola colmada de hongos alucinógenos. Los ofrece a los invitados en orden jerárquico. Los hongos fueron expresamente encargados por Benavides para esa ocasión importantísima. Lépiz, solícito, ayuda en la tarea. Y salvo los que ya no pueden incorporarse o los que en las recámaras están haciendo uso del box-spring, los demás toman puñados de hongos, como si se tratara de cacahuates japoneses. Los mastican, los saborean, los tragan. Siguen bailando. Y jugando. Y fajando. Y chismoseando. Alegres, muy alegres. Y muy bebidos. Por ahí hay intentos de intelectualizar la fiesta; salvajemente son reprimidos.

Los negros bailotean con Rosicler que anda en calzoncillos dejando ver sus peludas y flacas piernas. Ruperto analiza el libro *Culeid por Culeid* y dice que Culeid es bien opuesto a Culeid; todo depende de qué Culeid se hable. Si de Culeid o de Culeid.

Alejandro Ave declama un extenso poema contra la explotación del hombre por el hombre. No hay orejas para él.

Regueiro volvió a atrapar a Magdalena quien estaba bailando con Boyd. La jala a un rincón: Sí, Magdalena, todos tus amiguitos son unos mediocres, falsos valores, les falta ser hombres, se creen innovadores geniales, pero son unos pobres diablos inflados, son una moda momentánea, no trascenderán, ni siquiera tienen cultura, no saben penetrar en la sicología del personaje, ignoran la descripción, destruyen la belleza del lenguaje, inventan formas idiotas, estructuras que se caen al menor soplo, publicistas, farsantes, no valen nada, pero al tiempo me remito, habemos muchos de talento olvidados, ya saldremos, los futuros críticos y los historiadores del arte me sacarán del anonimato en que me tienen estos imbéciles, estudiarán al Regueiro novelista, al Regueiro cuentista/ Yo valgo, yo soy talentoso, yo soy un genio incomprendido, yo soy muy culto, yo soy muy hombre, yo soy de mucha izquierda, yo soy un gran político. Yo. Yo. Yo. Yo.

Párale, Regueiro, por favor, cálmate. Estés como estés sólo sabes hablar de ti y de tu genial obra. Vives hablando bien de ti y mal de los demás. En los meses que llevo de conocerte la conversación ha tenido sólo un tema: Regueiro. Qué egocentrismo más idiota. Tranquilízate. Busca otro tema, deja de hablar de tus actuaciones en el mundo. Nadie te soporta.

Magdalena regresa a los brazos del pintor abstracto. Regueiro avienta su vaso y se para en el centro de la sala. Grita: ¡Soy el eje del mundo! ¡Ustedes son unos pobres pendejos!

Benavides a Rex: Este ya se cruzó. Mira qué papalina trae.

Rex a sus criados: Sáquenlo al jardín y que se duerma un rato. Si insiste en joder gente, lárguenlo a patadas.

Lépiz a Ornelas: ¿Quién es?

Julieta a Ruperto: ¿De dónde salió ese carcamán?

Magdalena a Boyd: Yo lo invité. Pero te juro que no pensé que enloqueciera.

Rosicler a él: Qué gentuza se cuela a nuestras fiestas. Debemos ser más selectivos. Primero los amigotes de Riveroll, los priístas ésos de a peso. Ahora el tipo loco éste. Qué asco.

Rex desaparece momentáneamente y regresa con más cajas de whisky. Lo festejan voces de alegría. Frente a las recámaras se han formado pequeñas colas que aguardan hacer uso de la camita.

Marta sigue contoneándose desnuda. Ya nadie la ve. Cada quien a lo suyo.

Ortiz Leal dice que no quiere ser guerrillero. Que dialécticamente le es imposible.

Los hongos comienzan a hacer efecto en las mentes de los intelectuales.

UNA VEZ que Ruperto Berriozábal se dé cuenta del terrible porvenir que le aguarda en las bravías tierras de Anáhuac; cuando hojee en las páginas del libraco del futuro y descubra que la abrumadora mayoría de los intelectuales mexicanos —igual que en los Estados Unidos— no tiene amigos ni intereses, que su amistad es tan frágil como un jarro de Tlaquepaque, se expatriará, se largará de aquí para producir mejor, para seguir su desarrollo intelectual en condiciones superiores,

sin las constantes persecuciones de falsos admiradores, sin los frecuentes insultos de enemigos imbéciles

y lo acusarán de malinchista y mal mexicano (pero, ¿quién es más importante para el mestizaje: Cuauhtémoc o la Malinche, señor comendador?)

y lo acusarán de traidor al Clan

y se enojarán porque no les gorreó los pasajes a Europa

Ruperto Berriozábal no regresará más que de incógnito y a visitar a sus familiares

no regresará porque para él los grandes problemas nacionales no tienen cura inmediata (y nadie que le funcio-

ne el cerebro esperará los mil años que le faltan al país para
adecentarse)

no hay remedio

la emigración es el único camino posible.

MIENTRAS BARTLES, Riveroll, Cafarel, Rolando, Julieta, Magdalena y Rex redactan el *Diccionario enciclopédico de lugares comunes*,

mientras los escritores gobiernistas escriben artículos elogiando al presidente en turno y miran hacia dónde apunta la Gran Verga que los colocará en un puesto mejor remunerado para poder beneficiar a su amado pueblo,

mientras la gente se atropella para ver bajar el ataúd del analfabeta y alcohólico, pero típico mexicano, católico recalcitrante, tarado y ejemplo de folklore digno de imitación, Javier Solís,

mientras el Santo y Miguel Aceves Mejía reciben el Puñal de Guanajuato por sus grandes actuaciones en *Yo también te amo, Patria querida* y *El Santo contra las chinas poblanas que matan*,

mientras *El derecho de nacer* y *La criada malcriada* revelan el talento del pueblo mexicano al llegar a las dos mil semanas,

mientras Ortiz Leal y Camarazo Losa abogan por una Universidad cuya autonomía no se confunda con el libertinaje y permita la entrada de los granaderos a proteger los intereses de la colectividad, mientras los grupos de izquierda se continúan fragmentando hasta perderse de vista en el espacio,

mientras México oscila entre una izquierda constitucional burguesa y una derecha francamente anticonstitucional,

mientras siguen con la eterna reforma agraria,

mientras continúan llevando a cabo la rediviva campaña de alfabetización,

mientras en la cárcel los presos políticos aguardan,

mientras los granaderos prueban sus nuevas armas destrozando una manifestación de estudiantes,

mientras Riveroll le corrige el estilo discursivo al director del Sector Campesino,

mientras el PRI acarrea gente para recibir al presidente de X,

mientras la política mexicana embrutece al pueblo (ya de por sí muy embrutecido),

mientras se celebra una mesa redonda sobre el cómic y la cultura,

mientras el grupo de soldados gasta en alcohol la paga que le dieron por hacer un trabajito fácil y discreto,

mientras

Esta obra se terminó de imprimir en septiembre del 2001
en los talleres de Litográfica INGRAMEX, S.A. de C.V.
Centeno No. 162 Local 1, Col. Granjas Esmeralda
C.P. 09810, México, D.F.